Filipe Pires Iannie

TUDO É POSSÍVEL

Tudo é possível
1ª edição: Julho 2021

Autor:
Filipe Pires Iannie

Revisão:
3GB Consulting e Caroline Alves

Foto de capa:
Jair Roque

Projeto gráfico:
Jéssica Wendy

DADOS INTERNACIONAIS DE CATALOGAÇÃO NA PUBLICAÇÃO (CIP)

Iannie, Filipe Pires
Tudo é possível : o céu responde àquilo que você declara / Filipe Pires Iannie. -- Porto Alegre : Citadel, 2021.
192 p.

ISBN: 978-65-87885-76-6

1. Vida cristã 2. Testemunhos (Cristianismo)
3. Espiritualidade I. Título

21-2471 CDD - 248.4

Angélica Ilacqua - Bibliotecária - CRB-8/7057

Produção editorial e distribuição:

contato@citadel.com.br
www.citadel.com.br

Filipe Iannie

TUDO É POSSÍVEL

O céu responde àquilo que você declara

CITADEL
Grupo Editorial
2021

Os seus melhores dias
começam agora.
Sinta fluir!

Sumário

Sumário

Instruções

Além do texto que escrevi com muita dedicação, gravei vídeos especiais que estarão disponíveis no final da Introdução e no final deste livro com mensagens relacionadas aos pensamentos que teremos.

Para assistir é muito fácil e simples, basta fazer a digitalização do QR Code (o nome do código que estará impresso no final dessas duas partes). Posicione a câmera do seu smartphone em direção ao código impresso (como se fosse tirar uma foto do código), e em segundos o vídeo que gravei especialmente para você aparecerá de maneira automática em sua tela.

Além dos vídeos, temos um site recheado de mensagens motivadoras para inspirá-lo ainda mais, acesse: www.filipeiannie.com.br

Aproveite e me siga nas redes sociais:
Facebook e Instagram: @ianniefilipe
Youtube: Filipe Iannie

Apresentação

Que alegria poder dividir este momento com vocês. Atualmente, no mundo, existem aproximadamente 7 bilhões de pessoas, mas é você quem está iniciando a leitura deste livro, sabe por quê? Porque o Criador tem visto as suas lágrimas e preparou este momento para atualizar a sua vida. Eu posso lhe afirmar que nada é por acaso, assim como diz o Criador do Universo:

> *"Há um tempo determinado para*
> *todo propósito debaixo do céu"*
> *– Eclesiastes 3:1 –*

Todas as coisas são propositais. E foi totalmente intencional iniciar a apresentação deste livro com essa reflexão, pois chegou a sua hora, este é o seu momento. Muitas pessoas entram em pânico para achar um carregador antes que acabe a bateria do celular, mas não se preocupam em achar um plano para atualizar a própria vida antes que seus sonhos fiquem no passado. Desejo intensamente que este livro seja uma fonte de inspiração, uma luz no fim do túnel. Cada palavra foi escrita com muito amor e com a intenção de lhe abençoar. Recomendo que faça deste livro o seu melhor amigo. Leia, reflita, realize os exercícios e assista cada vídeo, assim verá que tudo o que está aqui são estratégias para o seu crescimento. Compartilhe o que mais gostar a cada capítulo, e não se esqueça de ajudar outras pessoas.

Ministrei para grandes concentrações de pessoas em muitos países, e hoje, depois de tantas experiências, palestras e aprendizados, quero deixar um legado de confiança nos ensinamentos que veremos aqui. Além de ser Teólogo pela Universidade da Flórida, ao longo dos anos especializei-me em algumas áreas, como: Leadership, Mentoring, Life Coaching, e também em PNL e Psicanalise. Quando decidi escrever este livro foi com um único objetivo: compartilhar como eu descobri o grandioso poder que nós temos.

Não se pode mudar o passado, mas é possível alterar a forma de olhar para ele. Quando a pessoa consegue ter essa nova visão, ela muda o seu presente e consequentemente constrói um novo futuro. Alegre-se, sua história irá inspirar milhões de pessoas pelo mundo afora e eu quero deixar bem claro a você que absolutamente **TUDO É POSSÍVEL!**

Boa leitura.

Todos nós, com esforço e disciplina, temos a capacidade de controlar os nossos pensamentos e as nossas ações. Isto é parte do processo do desenvolvimento da maturidade espiritual, física e emocional."

– B. Hinckley –

CAPÍTULO 1

O poder do pensamento

Nossa mente é capaz de gerar cerca de cinquenta a setenta mil pensamentos por dia. Talvez você esteja surpreso com essa informação científica, confesso que eu fiquei. Veja a capacidade de criação da sua mente, observe também o poder de armazenamento e processamento que Deus lhe deu.

"Será que você não sabe? Nunca ouviu falar? O Senhor é o Deus eterno, o Criador de toda a terra. Ele não se cansa nem fica exausto, sua sabedoria é insondável."

– Isaías 40:28 –

Depois de obter esta informação, consegue imaginar como seria se Deus realizasse todos os seus pensamentos?

Com certeza você estaria desesperado para conseguir administrá-los, certo?

Uma vez li um artigo que falava sobre a nossa mente, que dizia: "O que você grava no subconsciente, ele se programa para tornar isso uma realidade física. O pensamento dá a ordem e o subconsciente cumpre".

Por isso, você é o resultado dos seus pensamentos. Seu pensamento é a sua oração eficaz. É aí que está o grande problema, tem muita gente colocando toda a força em futilidades. Vivem aplicando a própria força naquilo que não irá lhe proporcionar nada.

Estão focadas exclusivamente em suas aflições diárias, e perdem grande parte da sua vida mentalizando o negativo.

Para cada 10 pessoas fisicamente preguiçosas, existem 10 mil mentalmente estagnadas.

A colunista do site Meu Cérebro, Letícia Brito, declarou em um post um texto bem interessante.

FORTE É AQUELE QUE TEM O CONTROLE EMOCIONAL

Uma pesquisa realizada na Universidade de Stanford, nos Estados Unidos, apontou que meia hora de negatividade por dia já é suficiente para danificar seu cérebro, afetando o funcionamento de neurônios do hipocampo: a região da massa cinzenta que trabalha na resolução de problemas, cuida do funcionamento cognitivo e também da nossa memória. Quem malha sabe bem: se treinamos um músculo, ele tende a crescer e ficar mais forte, mas se deixamos de exercitá-lo por muito tempo acontece o contrário, ele atrofia. Graças à tecnologia de imagem, que permite mapear e mensurar atividades cerebrais, já foi possível perceber que o cérebro trabalha de um jeito parecido: o que incentivamos nele é o que tem mais potencial para se desenvolver. O que isso tem a ver com pensamentos negativos? Na parte da frente do seu cérebro, à direita, está o córtex pré-frontal direito: a região responsável pelos pensamentos negativos. Exames médicos mostram que quem vive pensando negativamente ou pessoas com depressão têm essa parte hiperativa ou excessivamente desenvolvida. Poderíamos dizer que é como um músculo (um bíceps, por exemplo) supertreinado.

Quando pensamos positivamente, a área ativada no cérebro é outra: também na parte frontal, mas do lado esquerdo (no córtex pré-frontal esquerdo). Durante períodos em que nos sentimos pra baixo, pessimistas, estressados ou depressivos, essa região parece estar menos ativa em relação ao lado direito (área dos pensamentos não tão bons). Ela está subdesenvolvida.

"A sorte só favorece a uma
mente bem preparada."

– Louis Pasteur –

Os cérebros ficam bons no que fazem. Mas também podem se viciar. Se você pensa muito de um jeito pessimista, seus "fios" cerebrais se especializam em produzir pensamentos negativos. O cérebro acaba ficando bom também em identificar coisas para pensar negativamente sobre elas.

DESENVOLVA O LADO POSITIVO

Acredite! O pensamento é um dos maiores poderes do mundo! Sonhar é algo tão poderoso que se todos acreditassem mais em seus sonhos, e perseverassem, a Terra seria totalmente diferente.

Embora eu saiba que muitas pessoas não tiveram a oportunidade de obter esse valioso aprendizado, para que haja uma mudança em sua vida, é necessário mudar seus pensamentos, é preciso uma desintoxicação mental. Torne-se uma pessoa otimista, desenvolva o lado positivo de seu cérebro.

"Tudo o que você desejar palpar
em sua vida, primeiro você
deve criar em sua mente."

– Filipe Iannie –

Infelizmente, muitas pessoas não percebem, mas os anos passam e a vida delas não sai do lugar. E muitas culpam as religiões, e até as outras pessoas, sendo que os únicos culpados são elas mesmas.

Todo pensamento que o seu subconsciente aceita como verdadeiro por meio da sua energia, se for preciso, Deus move céus e terra para realizá-lo. Acredito que você já sonhou com algo que aos seus olhos era impossível e que hoje é uma realidade em sua vida.

PROJETOS REALIZADOS

Escreva três acontecimentos que você enxergava como inatingíveis, mas hoje você os alcançou. Faça um esforço, certamente você se lembrará.

MINHA JORNADA

Eu me lembro de uma vez que fui com um amigo até uma agência de carros novos. E ele me perguntou: "O que vamos fazer lá?" (Ele ganhava um salário mínimo, eu nem isso). Eu disse: "Tem um carro que acho bonito e gostaria de vê-lo pessoalmente".

> ***"Infelizmente, os pensamentos negativos tentam nos sabotar diariamente. Quando nos concentramos na negatividade, temos nossa energia sugada. Eles querem nos convencer que não somos capazes de ir mais além."***
>
> **– Filipe Iannie –**

Chegando lá, eu parecia uma criança no parque de diversões. Perguntei tudo sobre aquele carro e sobre outros também. O vendedor me deu seu cartão com os valores dos veículos que eu havia gostado. Num determinado momento, testando um dos carros, meu amigo me chamou no canto e disse: "Filipe, pelo amor de Deus, vamos embora, você não tem dinheiro para isso!". Era verdade, eu não tinha nem R$ 150,00 na carteira.

Você perguntaria, com ar de zombaria: "Mas no banco você tinha, né?" No banco? (risos) Eu tinha era que pagar o empréstimo que havia feito. Eu não tinha nada no banco.

Nessa época eu estava ganhando cesta básica de duas famílias queridas enviadas por Deus para me ajudar.

Mas saí da agência motivado, feliz e com a certeza de que eu teria o carro que quisesse. Para a sua curiosidade, repeti essa atitude em várias outras agências. Cada vez eu ia aumentando o patamar das concessionárias e o desejo pelo carro visitado. Porque, mesmo que minha realidade estivesse bem longe daquelas aquisições, minha fé me dizia: "O que você desejar, Deus pode te dar!" Lembre-se: O poder do pensamento.

O COMEÇO DA TRANSFORMAÇÃO

Naquela época eu estava passando por um momento muito difícil, de muita tristeza e solidão na minha vida. Decidi pedir para morar de favor na casa de uma tia muito querida. E ali no quarto que eu ocupava, e já cansado de me sentir uma pedra inútil, decidi fazer uma lista de desejos impossíveis. Recomendo que vocês também a façam. Chamei essa lista de "MURAL DOS MEUS SONHOS".

Escrevi ali alguns desejos que eu tinha, surreais aos meus olhos e também aos olhos de quem me conhecia, mas totalmente possíveis para o Criador. Então fiz minha pequena lista inicial! Na vida, tudo precisa ter um começo, não é mesmo?

- Qual o salário ideal para mim
- Quais carros eu gostaria de ter
- Qual a casa dos meus sonhos

- As roupas que gostaria de vestir
- Lugares que gostaria de ir em viagens
- Poder ajudar as pessoas, sem precisar cobrar nada delas

Observação: Faça sua lista também; além de motivá-lo, você verá que tudo é possível!

Lembro-me de que passava madrugadas acordado, pensando de que forma minha vida iria mudar. Isso também deve acontecer com você, certo? Ficar pensando nisso constantemente. E mesmo que eu pensasse em uma solução e tentasse imaginar a forma correta para sair daquela situação, eu tinha que enfrentar uma batalha interior, pois sabia que nada daquilo era tão concreto.

"Quando estamos cansados e exaustos,
o Criador sempre aparece
para nos ajudar."

– Filipe Iannie –

Minha realidade lutava contra os meus sonhos! E às vezes me via chorando e me perguntando: será que fiquei maluco de vez? E como você já deve imaginar, nada aconteceu como planejei, sabe por quê? Porque Deus age da forma que menos esperamos. Mas de uma coisa eu sei, Deus AGE, e mais que isso, Ele sempre nos surpreende e realiza todos os nossos sonhos. Porém, nem tudo acontece da noite para o dia, mas, acredite, muita coisa pode acontecer em questão de horas, se estiver nos planos de Deus, é claro! Como saber disso? Você sentira paz em suas ações! Um dos segredos é você sempre se manter grato por tudo, por tudo mesmo!

A MANEIRA QUE VOCÊ CONDUZ SUA MENTE, DETERMINA O SEU GRAU DE ÊXITO

Eu me recordo de uma passagem bíblica em que Pedro, o discípulo, esteve toda a noite pescando e nada havia apanhado. Exausto e desmotivado, Pedro estava lavando sua rede para guardá-la e seu pensamento era de que aquele dia estava literalmente perdido. Foi quando Jesus apareceu e lhe disse: "Pedro, lance as redes!"

> *"E respondendo Simão, disse-lhe, Mestre, havendo trabalhado toda a noite, nada apanhamos; mas sobre a tua palavra, lançarei a rede!"*
>
> **– Lucas 5:5 –**

Estou acostumado a pescar em alto mar, e às vezes passamos horas no oceano. Sei que o ditado: "Nem sempre o mar está para peixe" é verídico. Sempre vejo valentes pescadores lutando pelo seu ganha-pão. Cansados e esgotados, eles têm a consciência que suas famílias dependem deles.

"E fazendo assim, colheram uma grande quantidade de peixes, e rompia-lhes a rede."

– Lucas 5:6 –

Para Pedro demonstrar tal desistência, era porque ele já estava no limite! Ele sabia do que falava, pois era um pescador nato, experiente e famoso na região. Ele estava acostumado com o mar. Tinha os melhores pontos demarcados, sabia onde deveria jogar a rede. E com toda a certeza, ele havia jogado em lugares estratégicos, mas, infelizmente, nenhum daqueles pontos rendeu peixe. Porém, ele acreditou na palavra de Jesus, voltou para o mar e jogou as redes. O que você precisa entender nessa passagem é que Deus não precisa de pontos demarcados porque Ele realiza o milagre como quiser. Só precisamos acreditar!

EXERCÍCIO RELÂMPAGO

Durante uma semana inteira você vai mentalizar algo majestoso que deseja. Você vai se esforçar para lembrar e mentalizar isso no mínimo 7 vezes ao dia! Pode parecer piada, mas, acredite, céus irão trabalhar em seu favor! Como assim? A única forma de você mover os céus é mentalizando e crendo no recebimento do sobrenatural! O tempo que você perdia sendo negativo, você vai ganhar sendo positivo!

"Jesus vai dar ânimo e revolucionar sua história."

– Filipe Iannie –

Observe: durante uma noite, Pedro não havia pescado nada e, horas depois, fez a maior pescaria de sua vida. Deus tem o poder de mudar sua história; seja um processo de anos ou de horas, seja possível ou impossível. Mas a mudança acontecerá!

Talvez seja o seu caso. Você está exausto por não conseguir nada, cansado das brigas e dos sofrimentos, mas, acredite: Jesus pode injetar ânimo em sua vida!

Em menos de 24 horas Ele mudou a história de Pedro. Ele pode mudar a sua também!

Alguns podem se perguntar: "Será que Deus sabe que eu existo?" Sabe! E ainda afirmo: onde você estiver agora, Ele está aí do seu lado, pronto para mudar a sua vida!

"Uma ideia é o suficiente para revolucionar seu mundo."

– Filipe Iannie –

A MUDANÇA

Às vezes é preciso desintoxicar seus pensamentos, agregar coisas, mudar a rotina, inovar.

Eu sempre orava, jejuava, devolvia o dízimo e doava minha oferta quando podia, mas eu estava precisando de algo a mais, digamos que diferente. Então passei a fazer uma coisa especial.

Todas as noites depois de orar eu pegava o MURAL DOS MEUS SONHOS e o levava ao coração mentalizando cada desejo ali escrito. E comecei a me imaginar dentro daquele sonho, vivendo cada desejo. Recebendo o salário que queria ter, passeando com o carro que desejava, morando na casa idealizada e me sentia feliz e extremamente grato por tudo aquilo, como se já estivesse vivendo.

O MELHOR DE DEUS SEMPRE ESTÁ POR VIR

Esse processo durou algum tempo, foi quando percebi que tudo o que havia naquele mural já tinha sido realizado. Com coisas muito maiores do que eu havia escrito ou colado. Mas eu precisei mudar os meus pensamentos.

"Pensamentos específicos e
bem definidos nos levam a
resultados positivos."

– Filipe Iannie –

Acredite, isso é algo tão especial e saudável, que eu faço até hoje! Atualmente, eu tenho o carro que quero ter, as maiores grifes do Brasil enviam suas roupas e catálogos para a minha casa para escolher o que vestir, minha casa é muito mais especial do que aquela que sonhei um dia.

Deus me abençoou tanto que hoje tenho amigos que são donos de agências de carros de luxos, que levam carros na minha casa e ainda insistem: "Fique com ele por uma semana, veja se gosta".

Hoje, vários amigos colocam à minha disposição suas aeronaves e seus helicópteros. Parece brincadeira, não é mesmo? Pra quem empurrava um carro emprestado e era motivo de chacota no meio da avenida, hoje sou surpreendido com o MELHOR de Deus!

Quando me lembro de episódios que só eu sei que passei, dormindo no chão, recebendo cesta básica, empurrando um carro emprestado e quebrado, analiso a minha vida e penso: Só Deus pode ter feito tudo isso! Sinto-me honrado e alegre em sempre poder ajudar diversas pessoas que necessitam de auxílio. Poder viajar pelo mundo levando as boas – novas é algo majestoso. Glória a Deus por isso! Entenda que não é prepotência, soberba, arrogância ou ostentação, mas é o poder da fé bem exercitada; lembre-se: "Pensamentos criam coisas físicas" e isto é a prova de que para Deus TUDO É POSSÍVEL! O que sei é que muito em breve você desfrutará dos benefícios de seus pensamentos nesse mundo! E quem olhar pra você se surpreenderá!

"Seja grato pelos tempos difíceis, pois eles farão de você um vencedor."

– Filipe Iannie –

Com a ajuda do Pai eu venci, e quem me conhece sabe que meu coração está sempre apto para ajudar o necessitado, mas não basta apenas ajudar com dinheiro ou bens, é preciso transmitir esse pensamento positivo também.

Ao ser impactada por novas experiências, sua mente jamais voltará à antiga dimensão.

Sei que muitos estão lendo este livro em meio às lágrimas, a dor, e até mesmo estão morando de favor na casa de algum parente ou amigo; que as ligações de cobrança não param de chegar, sei que esta pandemia prejudicou e destruiu muitos lares. Sei que o sentimento de tristeza tem tomado conta de muitos. O desespero por estar a ponto de perder sua família, seu casamento, sua empresa. Mas eu sei que tudo isso mudará, porque eu também passei por isso e venci. Pode ser difícil entender o que irei dizer agora, mas... NÃO DESISTA!

Diga para Deus: "Senhor, eu sou grato por tudo o que tenho passado. Eu O amo verdadeiramente. E sei que amanhã estarei com a minha família desfrutando do melhor desta Terra. Graças te dou, Pai. Pois esse deserto me fará muito mais forte!"

Seja grato e lute para manter o sentimento de amor, de gratidão e de fé vivos dentro do seu ser.

JÁ MUDOU SEUS PENSAMENTOS? ENTÃO SUA VIDA COMEÇA A MUDAR AGORA!

Lembra-se daquele meu amigo que contei no início do livro, que não me incentivou na agência de carros? Ele nem terminou a faculdade, mas ganha mais do que muitos doutores por aí, sabe por quê? Porque ele entendeu a visão, e o poder do pensamento, ele compreendeu que quando você se torna grato, aplica a fé e luta, tudo flui.

Vigie constantemente, pois a indecisão e a dúvida juntas se transformam na palavra medo!

Um pouco mais à frente, neste livro, há espaço para você escrever e colar fotos do que deseja obter. É um exercício. Não fique com vergonha, faça!

"Não importa quem você é, ou que tipo de vida esteja levando, não importa quais são suas circunstâncias atuais. Saiba que com a fé que você tem hoje, mesmo sendo apenas um restinho, creia, ela mudará sua vida completamente."

– Filipe Iannie –

EXERCÍCIOS :
TAREFAS PARA A VIDA INTEIRA

Tem uma coisa que ninguém pode fazer por você: a sua parte. Então, arregace as mangas e mãos à obra. Para completar esta primeira caminhada, vamos iniciar o MURAL DOS MEUS SONHOS.

Você tem uma parede livre onde possa pendurar um quadro branco ou algo parecido? Se não tiver, cole uma folha de cartolina na porta do guarda-roupa.

CONFIRA AS INSTRUÇÕES ABAIXO:

1º. No alto da folha ou do quadro escreva: MURAL DOS MEUS SONHOS.

2º. Cole uma foto sua logo abaixo do título. É para lembrar que você é o ponto central deste exercício. Caso não tenha a foto, escreva seu nome completo + data de nascimento.

3º. O primeiro desejo a ser escrito no mural deve ser a resposta da pergunta a seguir: O que eu mais desejo para a minha vida?

4º. Copie a questão na folha e complete com o que você espera para cada desejo.

PARA MAIOR COMPREENSÃO, VEJA OS EXEMPLOS:

MURAL DOS MEUS SONHOS

NO TRABALHO

Até o fim do ano conseguirei a promoção que desejo, o aumento de salário de pelo menos 20%.

NA RELAÇÃO FAMILIAR

Durante este mês, vou dedicar no mínimo quatro noites por semana para estar com a minha esposa /meu esposo, e com os meus filhos, vamos orar juntos, ser grato pelas vidas de cada um deles.

NO ASPECTO FINANCEIRO

Nos próximos 12 meses, vou dedicar no mínimo 10% da minha renda para a viagem dos sonhos com a minha família.

Nos Projetos Sociais

Neste semestre, ao menos uma vez por semana vou realizar uma prática voluntária, como: visitar um doente, acalmar um amigo com problemas, doar algo para uma pessoa carente, mandar mensagens de fé para amigos e desconhecidos.

Seja qual for o seu desejo, escreva, cole fotos e ore todas as noites. Não deixe de estipular o prazo para cada realização. E seja sempre positivo!

Delete de seu vocabulário palavras negativas, como: Não e Nunca. Elimine também palavras de dúvida, como: Pretende e Talvez. Ao contrário, escreva com firmeza, acredite em cada desejo, tenha fé, dedique-se e se esforce.

Pare a leitura agora e vá fazer o MURAL DOS MEUS SONHOS. Neste momento, é a coisa mais importante a ser feita..

"Peça, porém, com fé, em nada duvidando; porque o que duvida é semelhante à onda do mar, que é levada pelo vento, e lançada de uma para outra parte."

– Tiago 1:6 –

MURAL DOS SONHOS

Mande este exercício para os amigos e os oriente a comprar este livro ou os presenteie. Ensine-os o passo a passo do MURAL DOS MEUS SONHOS.

Marque o máximo de amigos em suas redes sociais com as frases a seguir:

"Você será muito feliz, e nesta semana terá boas notícias."

– Filipe Iannie –

"Ideias novas significam sucesso."

– Filipe Iannie –

Se encontrar pessoas que só lhe deem más notícias, ou com pensamentos negativos, ou até que se queixam pela vida, libere essa energia transformada que você recebeu, e espalhe-a por onde você passar!

RESUMO

Nossa mente é capaz de gerar entre cinquenta e setenta e sete mil pensamentos por dia. Deus lhe deu um grande poder de pensar. Imagine se Deus pudesse realizar todas as suas vontades? Quando pensamos em algo o nosso subconsciente trabalha para que aquilo possa acontecer fisicamente. Por isso você é o resultado dos seus pensamentos.

O mesmo acontece na oração, quando colocamos em oração aquilo que precisamos, estamos pedindo ao Senhor para que elas aconteçam. Mas existem muitos que estão colocando suas forças em algo que não vai edificá-los; desse modo tiramos a visão do poder da oração e focamos em nossos problema e aflições.

Acredite: o pensamento é algo poderoso. Para algumas pessoas torná-los positivos é mais difícil do que para outras, no entanto, se manter firme e tentar tirar algo positivo fará toda diferença na sua vida, seja otimista!

Você pode estar exausto, desanimado, mas Ele, em vinte e quatro horas, mudou a vida de Pedro. Ele também pode mudar a sua, independente do que você esteja passando.

1. Nossa mente é capaz de gerar, por dia, de cinquenta a setenta mil pensamentos.

2. Se você pensa muito de um jeito pessimista, seus "fios" cerebrais se especializam em produzir pensamentos negativos, ou seja, trabalhe a positividade em sua mente.

3. Deus não precisa de pontos demarcados porque Ele realiza o milagre como quiser. Só precisamos acreditar!

4. Crie um grande e belo mural. Trabalhe firme mentalmente nele dia e noite!

5. Cadastre o número do seu celular e de um amigo, vocês receberão constantemente mensagens de uma nova visão.

*Não conseguimos
entender o motivo
de muita coisa que
passamos, mas
depois de alguns anos
tudo se torna claro
e contundente!"*

– Filipe Iannie –

CAPÍTULO 2

Podemos superar qualquer dificuldade

Infelizmente, passamos por grandes tragédias durante a vida, são marcas que não se apagam e que aparentemente não irão cicatrizar. Mas, por meio da fé, vemos uma luz no fim do túnel. Quando entendemos que tudo o que acontece em nossas vidas tem um propósito, essa ferida começa a cicatrizar porque sabemos que Deus sempre tem o MELHOR para as nossas vidas.

Quantas pessoas, famílias, empresas eram movidas por grandes sonhos e que, infelizmente, com o passar dos anos, os desejos foram ficando para depois?

A palavra tragédia, segundo o dicionário, significa: uma ocorrência catastrófica, prejudicial, que leva uma pessoa, família ou grupo a uma desgraça da qual é impossível se recuperar. Vou usar um exemplo que certamente irá inspirá-lo.

A JORNADA DE UM JOVEM CHAMADO MEFIBOSETE

As Escrituras Sagradas contam a história de um jovem rapaz chamado Mefibosete, você conhece? Vou simplificar essa passagem. Ele era neto do rei Saul e consequentemente, como de costume da época, tinha o direito de herdar o reino; sendo assim, em algum momento de sua vida, seria o rei de Israel.

Acredito que a história deste rapaz não seja diferente de muitas pessoas nos dias de hoje. Sua vida foi marcada por uma tragédia e que tragédia!

Quando tinha apenas 5 anos de idade, perdeu seu pai, Jônatas, assassinado em uma batalha. O avô, o rei Saul, testemunhou aquela cena horrível.

Sem aceitar ser morto por seus inimigos, decidiu tirar a própria vida, jogando-se contra a sua espada. Com toda essa confusão, os soldados estavam sem o rei e sem o príncipe e, como você deve imaginar, perderam a batalha.

Agora, entenda a situação de Mefibosete que em um único dia perdeu seu pai, seu avô, e todos do reino, ou seja, ficou só.

Quando a notícia do que havia acontecido chegou a Jezreel, a ama aproximou-se e fugiu com aquela criança. Com a pressa, deixou o garoto cair e, para completar a tragédia, o menino ficou aleijado. Se quiser conhecer a história Bíblica a fundo, leia II Samuel, capítulo 4.

Acredito que você conheça o dito popular: "Pior que está, não pode ficar". Mas no caso de Mefibosete piorou e piorou muito. Você consegue imaginar como ficou a cabeça daquele menino? Do dia para a noite, todos os seus sonhos foram destruídos e o reinado que um dia lhe pertenceria, tinha sido morto junto com sua família. A perspectiva dos privilégios, de uma vida com fartura e com muita prosperidade havia sido tirada com um golpe de espada.

Naquele momento tudo estava sendo sepultado. Como se não bastasse todas as mortes físicas, ainda ficou aleijado. Podemos até dizer que ele foi do céu ao inferno, não concorda?

Aquela queda marcou a vida daquele menino para sempre! Seu nome foi mudado: até os cincos anos chamava-se Meribebaal que significa "o Senhor combate", mas por conta do aleijão e de todas as tragédias, seu nome tornou-se Mefibosete, que significa "homem indigno, homem da vergonha".

APLICANDO O PODER DA RESILIÊNCIA

Entretanto, restou-lhe o bem mais precioso: a vida. Além deste exemplo bíblico, vou relatar um acontecimento pessoal.

No dia 7 de dezembro de 2009 aconteceu a maior tragédia da minha vida, isso mesmo, eu também vivi uma grande tragédia. Neste tempo, eu era missionário na cidade de Curitiba, capital do estado do Paraná. Naquela segunda-feira, despertei às 5 horas da manhã, chamei minha esposa e fomos nos preparar para mais um dia de gravação no monte, localizado no município de Campo Largo, como fazíamos todas as semanas. Antes de sair de casa orei, como de costume, entregando a minha vida e a vida da minha esposa nas mãos do Senhor.

Descemos pelo elevador, entramos no carro que eu possuía na época, um Citroën C3 preto, colocamos o cinto de segurança, ligamos o rádio e partimos.

Fiz uma pausa em uma igreja para pegarmos alguns itens que usaríamos na filmagem que iriamos fazer em uma montanha, o nosso cinegrafista e um casal de amigos de muitos anos.

Por volta das 6 horas da manhã, pegamos a estrada para irmos ao monte e no meio do percurso fizemos uma pausa no posto de gasolina para abastecer o carro e colocar água para a limpeza do para-brisa. Seguimos felizes, rumo à montanha.

Um pouco à frente do posto que havíamos feito aquela parada, para ser exato, na rua Francisco Rocha, no bairro do Batel, avistei à distância o sinal fechado e diminuí a velocidade. Quando me aproximei do semáforo, vi que ele passou para a luz verde, então comecei a acelerar um pouco, deveria estar no máximo a 50 km/h. De repente, uma camionete Mitsubishi Pajero, na cor prata, avançou o sinal vermelho da rua perpendicular e atingiu em cheio o meu carro do lado do carona.

A camionete era conduzida por um jovem que estava embriagado e com várias latas de cerveja no chão do carro, segundo o policial que o deteve. Além disso, sua carteira de habilitação estava cassada por excesso de multas. De acordo com a perícia, o jovem dirigia à velocidade de aproximadamente 170 km/h.

O impacto fez o meu carro girar e o lançou a muitos metros do local do acidente. Eu era o condutor. Com a pancada, eu desmaiei, mas voltei depois de poucos minutos. Ouvia gritos desesperados da parte de todos que estavam comigo no carro.

Tudo aconteceu numa questão de segundos, mas pude ver tudo em câmera lenta. Aquele acidente se transformou em uma enorme tragédia.

Ainda um pouco zonzo, tentei mexer o corpo para verificar se estava tudo bem, mas senti uma dor terrível no braço direito, pois o ombro estava quebrado. Agoniado com tudo aquilo, levei a mão esquerda à cabeça, percebi vários cortes no couro cabeludo, passei a mão no rosto e senti muitos pedacinhos de vidro. E para completar, não conseguia respirar – estava com uma enorme hemorragia no pulmão direito.

Foi a pior sensação que experimentei em toda a minha vida. Puxava o ar e ele não vinha, sentia como se tivesse borbulhas na minha respiração – depois percebi que era o sangue que preenchia meu pulmão.

Olhei para o lado e vi minha esposa desfalecida, olhei para o outro lado, vi o casal de amigos no chão, olhei para trás, o cinegrafista tinha a cabeça toda mutilada, espirrando sangue. Era como estar dentro de um filme de terror.

Quando o carro do resgate chegou, pedi que levassem primeiro para o atendimento minha esposa, que estava grávida de poucos meses. E depois que levaram ela, fui socorrido.

Assim que o procedimento iniciou, os médicos, usados por Deus, perceberam pela minha respiração que havia algo errado no pulmão, e estavam certo, a hemorragia ficava mais forte a cada segundo, e assim correram para o hospital para preservar a minha vida. A cena do acidente não saía da minha cabeça. Em meio à minha dor e a aflição por não conseguir respirar direito pedia ao Senhor que não me deixasse morrer.

Chegamos ao Hospital Evangélico, em Curitiba, e rapidamente fui levado para dentro e os procedimentos continuaram; minutos depois iniciaram uma incisão pulmonar para colocar um dreno. Graças a esses cuidados, em poucos dias estava fora de risco. Quero deixar aqui a minha gratidão a todos que cuidaram de mim.

Durante os dias que fiquei no hospital, a irmã de um amigo meu, deputado pelo estado do Paraná, foi me visitar. Na verdade, ela era psicóloga daquele hospital e eu nem sabia. Ela parou ao lado do meu leito com uma junta médica para dar a pior notícia que alguém poderia receber na vida! Lembra daquele dito popular: "Pior que está, não fica"? Pois ficou. Acho que você pode imaginar o que seria.

Ela iniciou o discurso de maneira calma e cuidadosa, dizendo: "Deus o ama muito. Não era para você estar entre nós, mas Ele preservou a sua vida, pois tem um projeto muito grande para você!" Em seguida, vieram as palavras que jamais desejei ouvir: "Sua esposa, o casal de missionários e o cinegrafista, infelizmente, não resistiram e vieram a óbito!" Confesso que precisei de alguns minutos para digerir aquelas palavras, e quando entendi que aquilo era real, confesso que perdi o chão! Naquele momento, veio à mente o pensamento egoísta: "Está vendo só? Você foi fazer o bem para as pessoas e Deus deixou acontecer essa tragédia, você perdeu tudo!"

Então fechei os olhos e veio a imagem de um culto que eu havia assistido naquela semana.

O pastor dizia: "Ame a Deus incondicionalmente. Se tudo estiver bem, ame-o, e ainda que tudo esteja em pedaços, diga em seu coração: 'Senhor, hoje eu O amo mais ainda'".

Foi o que eu fiz naquele momento em meio às lagrimas de desespero, à dor física e à dor emocional. Não podia deixar o leito de hospital, logo, nem pude ir ao enterro. Talvez você esteja pensando: "ah, você se revoltou com Deus, né? Olha o que Ele permitiu". Não, caro leitor, ainda em meio às lágrimas, eu disse com toda convicção: "Jesus, eu O amo mais que antes. Obrigado pela minha vida que o Senhor poupou!"

REFLEXÃO

E agora eu lhe pergunto, meu querido leitor, como tem sido a sua vida? Qual foi a tragédia que destruiu os seus sonhos? O que aconteceu para que sua vida parasse? É muito fácil falar de tragédias quando nunca se enfrentou uma. Mas eu passei, e se você estiver passando, eu sei como é sentir essa dor, eu sei como é chorar sem parar, eu sei qual a sensação de perder tudo.

E, por isso, quero que faça um exercício comigo. Eu fiz esse exercício quando a ferida estava aberta e me ajudou a cicatrizá-la, então faça, eu sou a prova viva que faz bem. Não quero que pense que estou fazendo isso para que sofra mais. Não! Mas creio que irá ajudá-lo a seguir em frente.

Confesso que assim que fiz esse exercício, senti como se um peso tivesse saído de mim. Deus me deu forças para continuar. Não foi da noite para o dia, mas coloquei a minha fé Nele e Ele cicatrizou a ferida.

EXERCÍCIO: CICATRIZANDO A FERIDA

Escreva a seguir três acontecimentos que têm bloqueado a sua vida. Vou lhe ajudar, leia os exemplos: seja uma perda que você não conseguiu superar, uma ferida ou uma dor na alma que há anos tem lhe causado dores insuportáveis. Algo muito triste que lhe aconteceu, que só de pensar não consegue segurar as lágrimas.

Agora coloque uma mão sobre a escrita e a outra eleve ao coração, e leia com toda a fé: "Deus não consulta o meu passado para decidir o meu futuro". Diga quantas vezes for necessário, até se sentir mais leve.

Tenho certeza de que funcionará com você, assim como funcionou comigo! Compartilhe essa frase com amigos que têm passado por momentos difíceis e divida essa ideia motivadora com eles; caso necessário, utilize as redes sociais para isso.

"Você pode escolher sofrer a dor da mudança ou a dor de continuar do jeito que está."

– Joyce Meyer –

Deus nos deu o poder da decisão, eu decidi virar a página e continuar a vida e a cada dia Ele tem me dado mais força, agora cabe a você continuar com a ferida aberta ou iniciar o processo da cicatrização.

VOLTEMOS À PASSAGEM DE MEFIBOSETE, PARTE INFELIZ

Alguns anos se passaram e aquela criança tornou-se um jovem, a gratidão pela vida não existia mais, já o pessimismo e a infelicidade tomaram conta. Sua vergonha era tão grande que decidiu ir para o pior lugar para viver, Lo-Debar. Lo quer dizer "não", e Debar "sem palavras, silêncio". Um lugar de reclusão, de solidão e de tristeza, uma espécie de pasto seco. Lo-Debar era a Terra do Esquecimento.

A SUA ESCOLHA

Você, meu leitor, fez uma escolha semelhante?

Isolou-se do mundo para viver na Terra do Esquecimento? Mas hoje quero trazer a boa-nova! Não é porque você errou ou se afastou de Deus que precisa viver nesta situação, julgando-se a pior pessoa do mundo.

Muitas pessoas estão se permitindo passar o resto da vida sobrevivendo de migalhas pelo fato de não liberarem perdão ou por não vencerem os traumas do passado. Entretanto, hoje quero mostrar que existe um remédio para isso. Remédio que não se compra na farmácia: a fé.

> ***"Você é o ímã mais poderoso do Universo! Você contém uma força magnética dentro de si mais poderosa do que qualquer coisa neste mundo,***

emitida pelos seus pensamentos. Com essa força, você atrai o que quiser."

– John Assaraf –

EXERCÍCIO: ANDAR DE BICICLETA

Quero que pense que a fé é como andar de bicicleta, enquanto você pedala, vai para a frente, mas no momento em que você para de pedalar, perde o equilíbrio e, consequentemente, cai. Enquanto você crer, você pedala, mas quando parar de confiar, cai.

Vamos fazer um exercício juntos, quero ajudá-lo a subir na bicicleta e começar a pedalar, está pronto?

Escreva a seguir duas coisas que irão alegrar o seu dia. Pode até ser algo impossível para você hoje. Mas lembre-se: tudo é possível para Deus.

____

____

____

____

____

____

____

____

Como está se sentindo? Tenho certeza de que está feliz e está sorrindo porque já começou a pedalar. Vamos contagiar todos a nossa volta? Marque seus amigos em redes sociais com a frase: "Você atrai aquilo que mentaliza. Pensamentos se tornam realidade".

CONTINUEMOS, PARTE FELIZ

Certo dia, Mefibosete foi levado de Lo-Debar para Jerusalém. O rei Davi estava no comando de Israel, interrogou-o indagando a razão de olhar para o chão, e sem coragem de encarar ninguém. O jovem respondeu: "Quem é teu servo, para teres olhado para um cão morto tal como eu?". A história completa você encontra na Bíblia Sagrada, em II Samuel, capítulo 9.

"O controle está em suas mãos.
Apenas dê o **start** *e comece a*
viver o melhor desta terra."

– Filipe Iannie –

Aquele que estava perdido e sem perspectiva de vida foi lembrado por Deus. A história daquele jovem mudou, o rei Davi o honrou. Entenda meu caro leitor, no momento em que terminam os recursos humanos, começam os divinos, e esses não têm limite.

NO MOMENTO CERTO TUDO MUDARÁ

Deus o ama muito, de forma incondicional. Expresse você também esse amor e gratidão por Ele.

Talvez você esteja vivendo na Terra do Esquecimento, desprezado por todos, mas Deus está olhando-o neste exato momento e, assim como no tempo certo Ele mudou a vida de Mefibosete, Ele mudará a sua!

Aquele que um dia foi rejeitado, passou a viver em Jerusalém, frequentar palácios e comer todos os dias à mesa do rei, ganhou muitas posses e se tornou milionário da noite para o dia. Creia que você viverá isso, aplique a sua energia em Deus, e, confie, porque no momento certo, tudo mudará.

DEUS ME SURPREENDEU

Acredito que você esteja pensando... "E você Filipe? Como está sua vida depois da tragédia?" A melhor parte da história, eu conto agora. Deus transformou a minha vida. Sigo levando as boas-novas pelo mundo a fora. Deus me deu algumas empresas. Deus me deu filhos.

A alegria e a qualidade de vida que tenho hoje são incomparáveis com qualquer expectativa que um dia sonhei ter. Posso dizer com um sorriso enorme nos lábios e no coração: Deus me SURPREENDEU!

Mas nunca se esqueça: eu fui grato mesmo na minha maior dor. E você? Como tem reagido perante ao deserto?

Sabe, muitos daqueles que diziam serem amigos, no momento em que mais precisei me deram as costas, me desprezaram. Muitos nem atendiam meus telefonemas, então, se você também perdeu aqueles que diziam serem amigos, saiba que Deus nunca lhe dará as costas.

"Deus tem o poder de transformar seu deserto em um jardim de milagres."

– Filipe Iannie –

Imagino que, quando viam meu número no visor do celular, falavam igual quando viam Mefibosete: "Esse cão morto não para de perturbar".

Infelizmente, nesse mundo, você vale o que tem, e a maioria das pessoas veem você da seguinte forma: "O que essa pessoa poderá me proporcionar?" Mas lembre-se que a vida é como uma roda-gigante.

Hoje, 99% desses que viraram as costas, me procuram para pedir conselhos, ajuda e a minha amizade. Hoje sento para conversar com os maiores poderes do Brasil. E não me iludo, meu amigo fiel e verdadeiro é Jesus Cristo! Assim também será com você. Quem olhar para você, verá a fé infinita em sua vida.

RESUMO

Deus nunca te coloca em uma situação sem que seja forte, por mais difícil que seja o problema, a circunstância, mas quando a nossa fé está enraizada nele, nada nos abala. Confie em Deus, pois Ele tem o melhor plano para a sua vida, lhe dará a felicidade que busca e lhe provará que a verdadeira fé nunca fica sem recompensa.

O nosso Deus é o Deus do impossível e que todos os obstáculos que você enfrenta são pequenos perto do Seu poder e de tudo aquilo que Ele tem para lhe oferecer.

Acalme o seu coração, tranquilize a mente e substitua todo o sentimento de ansiedade e desesperança por fé, apenas confie em que Deus, Ele cuidará de você em todos os momentos e lhe dará tudo conforme a vontade dEle.

Quando permitimos que os nossos problemas sejam maiores do que a nossa fé, tornamos as coisas muito mais difíceis do que podem ser. Se quisermos que Deus opere o impossível em nossa vida, precisamos mostrar através de nossas atitudes que estamos realmente focados em Jesus Cristo.

No tempo certo Ele mudará toda a sua história; apenas confie e acredite que Deus é capaz de fazer o impossível e que você é forte para enfrentar esse processo difícil.

Deus quer te surpreender!

Quanto maiores são as dificuldades a vencer, maior será a satisfação."

– Cícero –

CAPÍTULO 3

Controle emocional

O significado de prevenção: ato de se antecipar às consequências de uma ação, no intuito de prevenir seu resultado, corrigindo-o e redirecionando-o por segurança.

A prevenção é o segredo para uma excelente qualidade de vida. Assim como tomamos uma vacina para nos prevenir e nos proteger de uma doença devastadora.

Devemos ter o cuidado de filtrar e gerenciar nossas emoções contra: pensamentos negativos, dúvidas, temores e preocupações. Dias ruins vêm para todos. O que faz toda a diferença é: como você tem procedido diante das suas dificuldades?

MUITO CUIDADO AO QUE VOCÊ TEM ACESSADO

Temos em nosso cérebro lembranças que foram semeadas ao longo da vida. Muitas delas inconscientes, outras conscientes.

De todas as formas deram seus frutos. Podemos dizer que hoje viraram raízes em nossa mente: seus frutos são negativos para alguns, e positivos para outros. Sua realidade atual irá dizer que tipo de semente você cultivou ao longo da vida!

Talvez sua raiz cresceu, porém, ferida e machucada. E hoje se transformou em traumas que impedem a mudança de sua vida. A procura pela felicidade se tornou tão intensa, que hoje vemos pessoas fazendo loucuras crendo que serão felizes.

Mas o que essas pessoas não entendem é que a formação de seus pensamentos, sua mentalidade, seus neurônios, sua base emocional, foram formados de uma forma negativa.

O que seus pais ou familiares lhe transmitiam sobre ter dinheiro? Será que eles eram do tipo que falavam: Dinheiro não dá em árvore? A vida é dura? Rico é tudo arrogante? Ou ainda diziam: Se quiser ter tal coisa vá trabalhar! Menino eu falei para você não fazer isso! Você é um desgosto pra nossa família. Dessa forma, por mais que você lute pela positividade, sua mente sempre estará obcecada em te sabotar como uma assassina de sonhos! Mas por que isso? Porque a semente inicial que foi lançada não era boa. Por isso hoje as raízes que cresceram em sua mente, têm dado frutos ruis e amargos.

[...] *nenhuma raiz de amargura,*
brotando, vos perturbe [...].

– Hebreus 12:15 –

O nosso sistema límbico é o responsável basicamente por controlar as emoções e as funções de aprendizado e da memória, localizado nas estruturas do cérebro.

Formado por neurônios, ele possui várias estruturas e cada uma delas tem suas funções.

O hipocampo é um órgão pequeno situado dentro do lóbulo temporal central do cérebro e faz uma parte importante do sistema límbico, a região que regula emoções. O hipocampo é associado principalmente com a memória, em particular memória a longo prazo.

Aprender a dominar nossas emoções é algo que precisa ser trabalhado dia a dia. Por exemplo: na área que se chama hipotálamo, que converte os estímulos externos para a linguagem do cérebro, eles fazem sinapses neurais, neurônios se conectando com neurônios. Como se fosse a conexão de dois cabos. Ali, então, fica gravada uma crença, um novo aprendizado e nós temos bilhões de conexões neurais, aonde temos gravadas experiências que temos tido desde a infância e outras que estamos temos tendo ao longo da vida. Você precisa chegar até essa fonte e analisar o que foi programado dentro de você.

LIBERTE O PODER DO SEU SUBCONSCIENTE

Mudar essa configuração. Sim, é possível mudar o nosso interior. Quando fazemos isso, as mudanças no nosso exterior são notórias e confortadoras.

Existe um trecho na Bíblia que fala que certa vez o Profeta Jeremias, conhecido como o Profeta das lágrimas, cujo significado é O Senhor Exalta, foi levantado como Profeta no Reino do Sul (Judá). Profetizou no mesmo período que os Profetas Ezequiel, Sofonias e Habacuque. O livro de Jeremias apresenta um quadro de um homem com profundas lutas interiores. Ele era atormentado por um complexo de inferioridade, depressão, dúvida e falta de esperança.

Várias passagens revelam os grandes conflitos interiores que este profeta enfrentava. Ele sempre se via submergido em conflitos interiores. Além de ter sido traído por amigos e familiares, ele se achava muito novo e pensava que ninguém o ouviria.

DEUS É ESPECIALISTA EM ARRUMAR BAGUNÇAS INTERIORES

Veja que mesmo tendo problemas internos, ele era útil para Deus. Como assim? Deus procura sempre extrair o melhor do ser humano. É claro que Deus sabia o que se passava dentro dele. Como Ele sabe dos distúrbios e conflitos que existem dentro de você.

Foi quando Deus falou com Jeremias: na verdade, o que Deus mostrou ao Profeta não era simplesmente uma mudança para o povo incrédulo da época. Mas Deus queria mudar o interior de Jeremias. E hoje Ele quer mudar o seu interior e posteriormente sua vida!

"A palavra do Senhor, que veio a Jeremias, dizendo: Levanta-te, e desce à casa do oleiro, e lá te farei ouvir as minhas palavras. E desci à casa do oleiro, e eis que ele estava fazendo a sua obra sobre as rodas.

Como o vaso, que ele fazia de barro, quebrou-se na mão do oleiro, tornou a fazer dele outro vaso, conforme o que pareceu bem aos olhos do oleiro fazer. Então veio a mim a palavra do Senhor, dizendo: Não poderei eu fazer de vós como fez este oleiro, ó casa de Israel? Diz o Senhor. Eis que, como o barro na mão do oleiro, assim sois vós na minha mão, ó casa de Israel."

– Jeremias 18:1-6–

MODIFIQUE SEU COMPORTAMENTO E MUDE SUAS CRENÇAS

Ninguém conhece melhor um produto do que o seu fabricante. Assim é conosco, Deus nos conhece melhor do que ninguém, Ele sabe dos nossos pontos assertivos e dos nossos pontos fracos.

Desenvolver força, coragem e paz interior demanda tempo. Não espere

resultados rápidos e imediatos sob
o pretexto de que decidiu mudar.
Cada ação que você executa
permite que essa decisão se torne
efetiva dentro de seu coração.

– Dalai Lama –

As lágrimas que nós não choramos, são mais cálidas e importantes do que as que derramamos! Uma pessoa sensível, quando alguém a ofende, machuca, uma pessoa hipersensível, quando alguém a ofende, estraga o seu dia. Uma pessoa hipersensível, é uma pessoa desprotegida emocionalmente e facilmente os pensamentos negativos conseguem dominar a vida dela.

"'Metanóia' significa mudança de
mentalidade. Se você abandonar os
pensamentos negativos e as crenças
limitantes, sua vida será elevada a
uma nova frequência de energias
positivas. Assim você irá cocriar
e alcançar o inatingível! Pratique
isso e alcance o sobrenatural."

– Filipe Iannie –

EFEITO DA ANSIEDADE NO CORPO

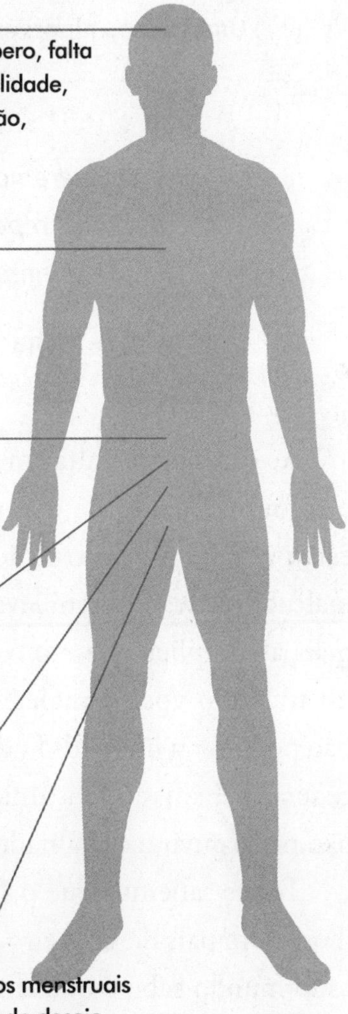

CÉREBRO:
Dor de cabeça, sentimento de desespero, falta de energia, nervosismo, raiva, irritabilidade, problemas de memória e concentração, dificuldade para dormir.

CORAÇÃO:
Batimentos cardíacos acelerados ou palpitação, hipertensão arterial, risco maior de ataque cardíaco.

ESTÔMAGO:
Náusea, dores de estômago, azia, refluxo, aumento ou diminuição do apetite.

PÂNCREAS:
Risco maior para o aparecimento de diabetes tipo 2.

INTESTINO:
Diarreia, constipação intestinal ("prisão de ventre"), síndrome do intestino irritável.

SISTEMA REPRODUTOR:
Nas mulheres podem ocorrer períodos menstruais irregulares e/ou dolorosos e redução do desejo sexual. Nos homens, impotência, baixa produção de espermatozoides e queda no desejo sexual.

Marque com um (x): Você se acha

( ) Uma pessoa **sensível**
( ) Uma pessoa **hipersensível**

Se queremos progredir, não devemos repetir a história, mas fazer uma história nova.

– Mahatma Gandhi –

Às vezes o que falta em muita gente é essa sensibilidade, o reconhecimento de que precisa mudar! Muitas famílias estão à beira da destruição. Sabe por quê? Está faltando maleabilidade. Querem levar tudo a ferro e fogo, não existe mais a cumplicidade e o companheirismo. Engraçado que no trabalho você é maleável a um pedido do chefe, mas não pode ser a um pedido do filho ou da esposa. Você pode ceder ao chamado dos amigos para jogar uma pelada, mas não pode ouvir ao chamado de Deus na sua vida.

Todos sabemos que o Japão é um país lindo e maravilhoso. Um país de primeiro mundo para se viver. O que nem todo mundo sabe é que lá tem mais de 200 vulcões ativos. O território sofre constantemente por horrendos tsunamis e, como se não bastasse, aproximadamente 100 tremores de baixa intensidade abaixo de 2.5 graus ocorrem diariamente, mas esse número cresce a cada dia.

Um país que depois de tanta dor e tanto sofrimento aprendeu a construir seus monumentais edifícios com maleabilidade. Ou seja, eles constroem as bases com enormes molas. Em eventuais terremotos, os prédios balançam de um lado ao outro, mas não caem, se mantêm intactos.

Devemos ter também essa flexibilidade na nossa vida, e em nossos caminhos, balançar não é o problema, o problema é desistir e cair!

UM DIA VOCÊ VAI ENTENDER OS PLANOS DO CRIADOR

Sara os quebrantados de coração,
e liga-lhes as feridas.

– Salmos 147:3 –

A única forma de sua vida mudar completamente é quando o seu interior é transformado por inteiro. Se sobrar um restinho, você terá consequências drásticas. Todos nós passamos por momentos delicados em nossas vidas; não é porque eu me considere um ativador da fé que estou protegido das decepções.

Saiba que até na dor nós aprendemos e nos conhecemos ainda mais, descobrimos a força que temos e extraímos o nosso poder de oculto.

O processo de purificação espiritual é como uma desintoxicação. As coisas precisam vir à tona para que sejam liberadas. Quando pedimos para sermos curados, tudo aquilo que ainda não está cicatrizado em nós será forçado à superfície. Uma ferida bem tratada é curada e as cicatrizes são as marcas de que vencemos.

– Filipe Iannie –

A pouco tempo atrás passei por uma separação. Nessa relação de 7 anos, tive dois diamantes, o meu primogênito tem 4 anos e o segundo, 2 anos. Uma separação não é fácil para ninguém, ainda mais quando você é surpreendido de uma forma que não espera; descobrir que não pode mais confiar no seu cônjuge de uma forma drástica é frustrante.

Precisei mais do que nunca de Deus, da família, e de amigos próximos, terapeutas, pessoas especializadas para me ajudar. Essa fase foi quando mais me dediquei a coisas relevantes na área do conhecimento pessoal. Fiquei horas assistindo palestras e ouvindo canções, acho que fiz valer minha assinatura do YouTube (risos).

Mas valeu muito a pena. Junto com a dor vem a cura. Foi quando meu alerta que estava inerte acordou.

Olhei-me no espelho e disse: Ei, você é um filho de Deus, você foi projetado para ser feliz, para ter uma vida de sucesso e de vitória. Casamento às vezes passa, mas seus filhos sempre serão seus amigos. Você não precisa das migalhas de ninguém nem precisa viver com quem te feriu. Recebi naquela hora uma palavra que quero compartilhar com vocês.

ESTÁ CHEGANDO A SUA MELHOR TEMPORADA

Essa palavra faz parte do meu dia a dia e quero que faça parte do seu também. É isso, está chegando a sua melhor versão, você atualizado, você mais maduro, experiente, confiante e motivado.

A mão de Deus cura lugares que
a medicina não alcança.

– Filipe Iannie –

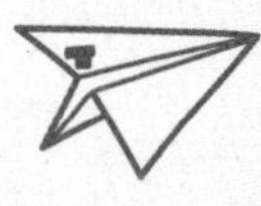

Em um dos cursos do nobre Augusto Cury. Aprendi alguns exercícios que quero compartilhar com vocês.

Reflita três vezes por dia: "Por que sou obrigado a me magoar com os outros?"; "Por que não sou livre?"; "Por que me preocupo demais com a aprovação dos outros?"; "Sou livre ou sou um escravo emocional?" Crie os seus próprios gatilhos de gestão da emoção também.

1. Quais são os maiores inimigos internos que você enfrenta hoje?

___

___

___

2. De 0 a 10, quanto você está disposto a enfrentá-lo?

1 2 3 4 5 6 7 8 9 10

3. Escreva 3 gatilhos de gestão da emoção que você acionará internamente. Esses gatilhos devem ser como gritos silenciosos dentro da mente humana e podem ser acionados várias vezes ao dia, toda vez que o seu inimigo interno estiver gritando dentro de você. Ex: de hoje em diante eu não vou ser escravo dos meus pensamentos perturbadores.

___

___

___

___

___

___

___

___

___

4. O que precisa acontecer para que você consiga escrever a sua história antes que outras pessoas escrevam por você?

____

____

____

5. Por trás de uma pessoa que fere sempre há uma pessoa ferida. Identifique alguém que tem lhe magoado ou lhe ferido ultimamente, seja no âmbito pessoal ou profissional. Escreva seu nome no espaço abaixo. Reconhecer é o primeiro passo.

____

6. O que essa pessoa faz que lhe incomoda tanto?

____

____

____

7. Você conhece os motivos dessa pessoa, sua história? O que a levou a agir desta maneira?

____

____

____

8. Caso conheça, é possível entender sua dor? Entende como essa pessoa pode ser vítima de seus cárceres emocionais?

____

____

____

9. Caso não conheça, este será seu desafio: praticar a Técnica da Gestão da Emoção conhecendo mais profundamente essa pessoa. Pergunte-lhe sobre sua história, suas dores, seus anseios, seus sonhos, sem julgamentos. Escreva aqui sua experiência.

____

____

____

____

____

____

____

____

____

____

____

____

____

A maioria das pessoas desiste justamente quando estava quase alcançando o sucesso. Elas param na última linha do campo. Elas desistem no último minuto do jogo, a meio metro de um touchdown vencedor.

– Henry Ross Perot –

RESUMO

Como eu havia dito, a prevenção é o segredo para uma excelente qualidade de vida. O controle de emoções é uma etapa indispensável para o sucesso, porque nós não as controlamos, elas passam a controlar a nossa mente. Uma forma de controlar suas emoções consiste em se preparar para frustrações e contrariedades. Imagine o que pode acontecer caso seu plano não dê certo ou caso suas expectativas não sejam atendidas. Trace novos planos de reserva e, principalmente, utilize a inteligência emocional para prever e aceitar que nem tudo pode sair como você deseja.

Quando estamos em uma situação com uma emoção considerada negativa, como estresse, medo ou raiva, é preciso interromper o padrão negativo tão cedo quanto possível. Aprender a dominar nossas emoções é algo que precisa ser trabalhado diariamente, o controle das suas emoções não será possível se você não investir em autoconhecimento. Somente você é capaz de conhecer os gatilhos que disparam emoções boas e ruins em você e somente você tem a chance de impedir a continuidade de padrões negativos.

A Bíblia nos ensina que quem deve controlar a nossa vida e nossas emoções é o Espírito Santo, como diz em Gálatas 5:22: "Mas o fruto do Espírito é: caridade, gozo, paz, longanimidade, benignidade, bondade, fé, mansidão, temperança".

Deus te chama para fazer mudanças em sua vida. Nem sempre a culpa é dos outros. Peça para ele te ajudar a identificar os problemas emocionais em sua vida e suas causas. Se pecar, confesse ao Senhor e receba o seu perdão! Se é rancor ou amargura, peça para que ele te ajude a perdoar! Se é ansiedade, confie que o Pai está no controle de sua vida!

Lembre-se: Antes de você ser formado, Deus já o aguardava nesse mundo, cheio de amor pra lhe dar!"

– Filipe Iannie –

CAPÍTULO 4

Você é um propósito de Deus

Quero relatar mais um episódio da minha vida. Talvez você tenha nascido em um lar destruído e se queixa por estar vivo, e é exatamente por isso que quero lhe contar isso.

Meu pai veio de uma família extremamente pobre e miserável. Eles eram em cinco irmãos. Quando ele ainda era pequeno, foi abandonado por seu pai, sua mãe não tinha condições de criá-lo e muito menos de educá-lo, e, assim, ele foi criado por sua avó materna (minha bisavó). Entre muitos conflitos interiores, péssimos exemplos de seus pais, cresceu em meio a vícios e alcoolismo. Ele tinha todos os motivos do mundo para ser um homem ruim e amargo, revoltado com a vida porque não teve o amor de uma família e sua avó não pôde suprir todas as suas necessidades.

Vi meu avô apenas uma vez; ele veio até a minha casa pedir dinheiro para pagar dívidas de jogos de azar e depois disso nunca mais o vimos, logo veio a falecer. Minha avó, depois de muitos anos, até tentou ser mais presente, mas logo veio a falecer também.

Meu pai sempre foi um homem de bom coração, mas ainda era seduzido pelos vícios, mesmo que tentasse lutar contra, ele sempre perdia. Digamos que eram mais fortes do que ele. E, com isso, causou muita dor em mim e em toda a minha família porque ele parecia um hóspede, aparecia em casa às vezes e depois sumia.

Depois de alguns anos, passamos a viver todos juntos: meu pai, minha mãe, eu e meus quatro irmãos, totalizando cinco filhos (duas meninas e três meninos). No início, imaginávamos que seria maravilhoso, a família toda reunida à mesa para jantar, depois meu pai contaria histórias de super-herói e dormiríamos, mas não foi bem assim que aconteceu.

Os vícios e a dor do abandono eram mais fortes, e ele gastava tudo o que ganhava, tudo mesmo, até o dinheiro do aluguel e da comida. Em pouco tempo passou a vender as coisas de dentro de casa para sustentar os vícios.

A coisa mais triste é ter um pai viciado! Isso chegou a um ponto em que eu e minha família tivemos que sair pela madrugada em uma carretinha emprestada para não sermos despejados.

VOCÊ É UM SONHO DE DEUS!

Talvez seus pais não tenham planejado a sua vinda ou até mesmo tentaram encurtar sua vida nesse mundo, mas saiba que Deus o planejou, você é um propósito Dele. Ele não o enxerga como um problema, mas Ele enxerga sua imagem e semelhança. Te vê como um filho amado.

Assim como Ele o planejou, Ele deseja viver ao seu lado. No momento em que Ele pensou em você, já criou propósitos para a sua vida, propósitos felizes e bem-sucedidos. Saiba que você não é um imprevisto para Deus, porque Ele sonhou com você. Se hoje você está vivo, é porque Deus preservou a sua vida!

Mesmo que aos seus olhos os caminhos do Pai sejam misteriosos, ou aparentemente incertos, creia, porque tudo o que vem Dele, é o melhor! Meu Pai tentava de tudo para se libertar daquela situação, mas não conseguia.

ORAÇÃO MUDA A SITUAÇÃO!

Orar é consultar quem conhece o nosso futuro! E ali minha mãe aprendeu a orar.

Algum tempo depois, o impossível aconteceu, isso mesmo! Ela estava orando em uma igreja e, de repente, se deparou com ele, ali, orando, na mesma igreja! Parece uma história né? Mas foi um fato!

Ela poderia tê-lo encontrado em qualquer lugar do mundo ou, talvez, não o tivesse visto mais, mas Deus preparou aquele encontro. Foi ali naquela pequena igreja de bairro. Seria uma coincidência? Alguns diriam: “ah, que linda força do destino”, mas eu vou além e afirmo: isso era apenas o início do propósito de Deus dentro do nosso lar.

E a partir daquele reencontro, eles começaram a perseverar juntos, e venceram aquela situação. Imaginem se ele tivesse seguido com aquele peso do passado no coração, onde estaríamos hoje? Será que minha família teria suportado tamanha humilhação?

"Antes de formá-lo no ventre eu o escolhi; antes de você nascer, eu o separei e o designei profeta às nações".

– Jeremias 1:5 –

Deus sempre está esperando uma atitude de nós para mudar nossa história, talvez você diga: "mas eu não tenho recursos, estou limitado com essa situação". Se você está cansado, no limite, sem forças, sem motivação, achegue-se a Deus. Onde você estiver, mesmo que seja no lugar mais feio e mais triste do mundo, mesmo que tudo esteja desmoronando ao seu redor, dobre seus joelhos, levante seu rosto e diga: "Senhor Deus, eu lhe imploro, venha me ajudar!"

"Quando terminam os recursos humanos, começam então os divinos!"

– Filipe Iannie –

A ESCOLHA ESTÁ EM SUAS MÃOS!

Embora Deus tenha seus projetos para cada um de nós, Ele também criou o livre-arbítrio, ou seja, o poder da decisão está em nossas mãos. Quer que a sua vida mude? Faça as escolhas que o levam a esse caminho.

EXERCÍCIO: DESBLOQUEIO DA ALMA

Gostaria que você fizesse um exercício de autoajuda comigo. Acredite, será de grande valia para você; estou aqui para ajudá-lo! Procure no mais fundo de sua alma esse bloqueio que tem alienado a sua vida, aquilo que de fato tem amargurado seus dias.

Vou dar um exemplo: no caso do meu pai, o abandono o destruía. E no seu caso, o que lhe consome?

____

____

____

____

____

Seja sincero, você tem procurado ajuda para solucionar esse problema? Escreva aqui embaixo o que você tem feito para reverter essa situação.

Não existe força, poder e energia, maior que a de Deus, Ele é o Todo-Poderoso. Quero muito que nas linhas abaixo você escreva como gostaria que fosse a sua vida e a da sua família. E se você olha e só vê destruição, saiba que existe um Deus que pode transformar tudo, e esse Deus está ao seu lado neste exato momento, pronto para lhe abraçar e secar suas lágrimas.

Escreva aqui e saiba que tudo, TUDO é possível para Deus!

Filipe Iannie

"Em todos os enterros que Jesus presenciou, Ele ressuscitou o morto! É evidente que Ele não deseja que você sofra. Peça para Ele entrar em sua vida também. E tudo que hoje parece morto e perdido, Ele ressuscitará!"

– Filipe Iannie –

QUAL É O SEU SONHO?

Escutei o Dr. Myles Munroe falar há alguns anos que o lugar mais rico do mundo é o cemitério. Ele explicou: é porque lá estão enterrados sonhos que não se realizaram, livros que não foram escritos, filmes que não foram produzidos, canções que não foram compostas, quadros que não foram pintados. E concordo em partes com essa afirmação. Realmente acredito que muitas pessoas passaram ou passam por esta vida sem saber o porquê de sua existência. Simplesmente vagam nesse mundo, sem ideias, sem projetos e sem projeção para o futuro. Mas quero que entenda que você é especial, Deus sonhou com a sua vinda. Faça a diferença, não viva apenas, mas sinta a vida.

A expectativa média de vida nos dias de hoje é de 25.550 dias. Esta deverá ser a duração de sua vida se você for uma pessoa típica. Você não concorda que seria sábio reservar alguns desses dias a fim de compreender o que Deus quer que você faça com o resto deles?"

– Rick Warren –

Entenda que a mudança começa em você! Isso mesmo, no momento em que você percebe que precisa fazer algo novo, e faz, tudo flui e tudo o que está a sua volta se transforma. Comece a lutar pelo seu propósito, levante do sofá, saia de sua zona de conforto!

"Todos nós, com esforço e disciplina, temos a capacidade de controlar os nossos pensamentos e as nossas ações. Isto é parte do processo do desenvolvimento da maturidade espiritual, física e emocional."

– Gordon B. Hinckley –

Não se esqueça de entrar em nosso site: www.filipeiannie.com.br e cadastrar seu número de celular ou de um amigo. Você receberá sempre mensagens que irão abençoar o rumo de sua vida!

"Antes de desistir de qualquer coisa, consulte a Deus. O desejo de Saul era encontrar apenas as jumentas que haviam se perdido. E o propósito de Deus era torná-lo rei de Israel. Deus tem um mega propósito para você! Não desista."

– Filipe Iannie –

Mande essa mensagem para pelo menos 30 pessoas de seu contato telefônico. Acredite, você estará dando vida a pessoas que estão desistindo de tudo!

RESUMO

A minha vida nem sempre foi fácil, ainda mais quando falo em família. Meu pai, nunca foi o pai que minha família queria ter. Ele era viciado em jogos de azar, não ajudava em casa e até mesmo vendia as nossas coisas pra poder jogar. Meu ambiente familiar era cheio de vícios e as coisas nunca iam bem. Até o momento que meu pai nos deixou e passamos a viver sem ele.

Apesar de ter sofrido muito por causa disso, nunca desisti de mim mesmo. Sempre acreditei que seria mais do que o meu pai foi, e que seria feliz. Quando cresci, coloquei os meus propósitos na frente dos meus problemas, e consegui vencê-los.

Antes mesmo de você nascer, Deus já havia preparado o propósito dele sobre você. Ele já havia te escolhido para viver coisas grandes, coisas que nenhum olho viu e nenhum ouvido ouviu. Por mais que você esteja em um ambiente tóxico, que te desanima e que você não vê solução, não desista, pois o que está por vir é muito maior do que qualquer coisa que esteja passando. Comece a colocar os seus planos em ação, por mais que eles pareçam impossíveis aos seus olhos, para Deus não é. Pense grande, projete coisas que lhe farão crescer, sejam elas, fisicamente, mentalmente, espiritualmente, enfim, crescer em Deus.

Acredite que Deus realiza sonhos e Ele está pronto para realizar os seus, tudo é possível para o Pai. Ele te ama e cuida de você, te guiando, amparando, e te dando o poder para vencer!

O diabo não tem medo de você enquanto estiver pronunciando palavras negativas. Mas ele se desespera quando você é positivo, pois ele sabe que você irá se tornar um colecionador de realizações."

– Filipe Iannie –

CAPÍTULO 5

O impacto de nossas palavras

Como vimos nos capítulos anteriores, a superação de uma tragédia é possível por meio da fé em Deus. Quem controla os céus somos nós! Por exemplo: Lashon Hará é um termo em hebraico que significa "má língua". A prática do lashon hará significa: fazer fofoca, isto é, falar mal de outra pessoa sem que ela esteja presente, mesmo se o que está sendo dito for verdade. Um judeu que falasse lashon hará era punido com tsaráat, que significa: castigo. Por isso, suas palavras podem decretar o seu óbito ou lhe trazer vida!

SUA BOCA É UM PODEROSO *START*

Digamos que Deus entregou em nossas mãos o controle, um controle muito poderoso, capaz de mudar qualquer situação. Vou lhe dar um exemplo: quando você está assistindo algo e não gosta da programação, o que faz? Muda o canal e busca algo interessante, correto?

O controle que o Pai nos deu funciona da mesma maneira, se não estamos felizes com o que estamos vivendo, temos o poder de trocar o canal de nossas vidas, e irmos para a programação de Deus, e, olha, este canal é maravilhoso: tem paz, saúde, família, prosperidade, restauração, realização de sonhos e muito mais.

Em diversas passagens na Bíblia, vemos que os apóstolos e Jesus falaram apenas uma palavra e a situação foi mudada.

Observe o que o apóstolo João cheio do Espírito Santo disse:

> ***"No princípio era aquele que é a Palavra.***
> ***Ele estava com Deus, e era Deus."***
>
> **– João 1:1 –**

VOLTEMOS À AULA DE LÍNGUA PORTUGUESA...

Verbo é uma palavra que expressa uma ação, por exemplo: Eu CRIO várias oportunidades para mim. A palavra "CRIAR" é um verbo, que se refere à palavra de criação, uma forma de realização, entende? A primeira manifestação de Deus na Terra foi através da palavra. Desde a criação do mundo, e até hoje, é o Verbo, ou seja, a palavra quem governa. Pela palavra Ele criou o mundo inteiro. Assim, pelo poder de suas palavras você irá escrever uma nova história!

SUA PALAVRA TEM PODER

E mesmo depois de tudo o que conversamos neste capítulo, você esteja perguntando: "Ah, tem poder na minha palavra?"

A resposta é: SIM! Há poder em suas palavras. E, com isso, todas as palavras que proferirmos têm grande poder de realização, positiva ou negativa.

Você já deve ter visto diversas vezes, em desenhos e filmes, o gênio da lâmpada mágica. Já reparou que quase sempre ele aparece no deserto? E sempre diz: "Você tem direito a fazer três pedidos!" O gênio ainda recomenda: "Pense bem, pois esses pedidos irão mudar sua vida".

Devemos entender que Deus é o nosso gênio, porém seus recursos são ilimitados e Ele não nos limita a apenas três pedidos, mas podemos pedir o que quisermos e quantas vezes quisermos e, se crermos, seremos atendidos.

Saiba que você encontrou esse "Gênio mágico". Ele está pronto para realizar o seu desejo, peça e confie!

Temos um detalhe muito importante para falar... Quando se encontra essa lâmpada, o que se deve fazer? Esfregá-la, certo? Ou seja, praticar a fé. Quando você usa a fé, mesmo diante de um grande deserto, Deus aparece para você e diz: "Estou pronto para mudar sua história, meu poder e recursos são ilimitados". Quando você acordar, antes mesmo de se levantar da cama, foque seus pensamentos em vibrações positivas, lembre-se de pronunciar apenas palavras motivadoras!

A sabedoria milenar dos chineses originou um provérbio bastante conhecido, mas que considero interessante repetir aqui: "Há três coisas na vida que nunca voltam atrás: a flecha lançada, a palavra pronunciada e a oportunidade perdida".

A palavra é o reflexo do que pensamos, ou seja, se você pensar que tudo vai bem, realmente, tudo irá bem, mas se você pensar que não tem mais saída, infelizmente, não terá mais saída. Saiba usar suas palavras, coloque palavras positivas em sua mente, fale coisas boas, porque o melhor virá sobre a sua vida!

Lembra quando Jesus falou para a tempestade se acalmar, e em questão de segundos, o mar se acalmou e os ventos cessaram?

"Então, levantando-se, repreendeu os ventos e o mar, e seguiu-se uma grande bonança."

– Mateus 8:26 –

Vou falar sobre outra passagem, lembra quando o centurião foi buscar o milagre para seu servo? Ele sabia da autoridade da palavra que Jesus tinha e disse que com apenas uma palavra seu amo ficaria curado.

Respondeu o centurião: "Senhor, não mereço receber-te debaixo do meu teto. Mas dize apenas uma palavra, e o meu servo será curado".

– Mateus 8:8 –

Caso esteja se perguntando se a palavra tem poder mesmo, vou mostrar mais uma passagem Bíblica.

"E, tendo dito isto, chamou com grande voz: Lázaro, sai pra fora."

– João 11:43 –

Quando Lázaro havia morrido, todos pensaram que era o fim e ainda disseram a Jesus: "Se estivesse aqui, Lázaro não havia morrido", mas tudo o que acontece em nossas vidas tem um propósito, lembra? Jesus foi grato a Deus pelo milagre e logo depois chamou Lázaro para fora do túmulo.

Nossas declarações criam recursos ilimitados no céu; nosso Poderoso Pai está com os ouvidos abertos para ouvir nossas palavras e realizar nossos desejos.

E mesmo que seus pais falem: "É muito arriscado!" Seus amigos falem: "É difícil!" E seus recursos falem: "É impossível!". Deus vem e fala: "Pode pedir filho, estou ouvindo!"

EPISÓDIO EM ALTO MAR

Uma vez fui pescar com um amigo. Na verdade, por influência dele, aprendi a pescar. Um belo dia, nós (esse amigo e eu) saímos para pescar de madrugada como de costume. Geralmente, até chegarmos ao ponto onde gostamos de ficar, levamos cerca de 5 a 6 horas de navegação. Mas naquela vez, quando atingimos cerca de 4 horas, o nosso barco começou a oscilar, primeiro parou um motor, em seguida o segundo motor, logo depois o gerador, e para completar o rádio também parou. Ficamos completamente incomunicáveis com a marina para pedir socorro.

Meu sogro, como de costume, sempre leva um iridium (um aparelho telefônico que oferece telefonia por satélite). O sinal desse telefone não é lá essas coisas, mas ajuda em casos de emergência. Ligamos para a esposa dele, os sobrinhos dele, para a sogra dele, para o caseiro e muitas outras pessoas, porém ninguém conseguia entender direito as coordenadas da localização em que estávamos, o que dificultava nosso resgate. Nesse meio tempo, descobrimos que o nosso diesel havia sido sabotado. Embora hoje os peritos afirmem isso, na hora o que vimos foi que o nosso combustível tinha virado uma lama, e o tanque estava vazio, sendo que no dia anterior havíamos deixado o tanque cheio! E, assim, ficamos à deriva por 18 horas. Nosso maior receio era de que, sem iluminação alguma, estaríamos correndo risco de sermos engolidos por um navio grande, pois estávamos indo para a rota usada por eles. Fizemos todos os procedimentos que podíamos naquela situação, mas nada resultou. Porém, todo esse episódio chamou minha atenção para um fato determinante para o nosso resgate e livramento. Em um dado momento estávamos saturados e ninguém vinha nos socorrer, o relógio marcava 23 horas quando esse amigo fez uma oração e disse: “Isso é um principado, que representa um dos príncipes das trevas”. E continuou: “Meu Deus, eu repreendo agora esse principado e que venha o nosso resgate”.

Foi uma breve oração, apenas 15 segundos. Então, às 2h40 da manhã o nosso resgate enfim chegou. Quatro homens valentes, com ótimo humor, muito abençoados nos resgataram. Fomos conversando a caminho de casa - e haja conversa, diga-se de passagem, pois estávamos muito longe de casa. Num determinado momento, um dos homens perguntou: "Ficaram aqui muito tempo?" Respondemos: "Sim. Ficamos aqui por 18 horas". Ele disse: "Poxa vida! Fomos informados às 23 horas!" Eu perguntei de novo, e ele confirmou: "Isso, às 23 horas!" Uau! Que maravilha! Uma breve oração de 15 segundos resultou em nosso resgate. Na hora em que foi determinado, foi a hora que eles receberam a ligação para nos resgatar. Esse Deus é incrível, não é mesmo?

EXERCÍCIO: PODER DA PALAVRA

Eu não sei o que você tem vivido e também não sei qual o resgate que você necessita neste momento, mas assim como depois daquela oração o Senhor enviou o nosso socorro, creio que Ele enviará o seu também agora, aonde você estiver. Receba!

Escreva nas linhas a seguir o resgate que você precisa neste momento, vamos, acredite no poder das palavras, o nosso Deus é ilimitado, lembra?

____

____

____

Terminou de escrever? Agora, vamos orar juntos, vamos usar o poder de nossas palavras! Declare em alto e em bom tom: “Eu tomo posse do meu socorro em nome de Jesus Cristo!” Creia que este problema já está resolvido, porque o Senhor já entrou com a provisão!

POLICIE AQUILO QUE VOCÊ FALA

A palavra tem um poder incrível, tanto para o bem quanto para o mal, com ela podemos solucionar um problema, ou piorar aquilo que já estava ruim, cabe a você mudar a decisão, porque é você que decide o que irá falar.

Como o que fizemos anteriormente, usamos as palavras para pedir o socorro de Deus, e Ele veio com a solução, se tivéssemos declarado a derrota, certamente, estaríamos derrotados. Você pode mudar qualquer situação, o poder está com você!

Por isso, é muito importante ter cuidado com o que se fala. Você sabia que com a sua boca pode assinar o seu próprio óbito? Forte isso, não é? Mas é a realidade, caro leitor.

"Porque por tuas palavras serás justificado, e por tuas palavras serás condenado."

– Mateus 12:37 –

Tenho certeza de que você já viu alguma pessoa que esteja passando por alguma luta dizer: "Não é possível, eu devo ter jogado pedra na cruz." Ou você já disse isso? Em vez de ela crer que tudo vai passar, ela murmura e assim afunda cada vez mais. Quando você pensa constantemente em seus problemas, lamento dizer, mas você está gastando a sua energia e isso pode lhe causar sérios danos. Para ser sincero, eu nunca vi ninguém vencer seus problemas reclamando deles!

Palavras duvidosas e o sentimento de medo podem nos paralisar de tal maneira que até o que iria dar certo começa a dar errado, concorda?

A Bíblia Sagrada relata uma passagem sobre os hebreus, que andaram em círculo no deserto durante 40 anos, sendo que essa travessia nos planos de Deus iria durar apenas 40 dias, forte né... por isso que disse anteriormente e repito, você tem o poder de mudar a sua história!

É você quem decide o estilo de vida que terá, em qual casa irá morar, qual a qualidade de vida que deseja ter daqui para frente!

EXERCÍCIO: ENCHA O CORAÇÃO COM PENSAMENTOS POSITIVOS

Vamos fazer juntos? Vamos tirar os pensamentos negativos e trocar por positivos, vamos mudar essa realidade de vida!

Prometa que a partir de hoje você irá policiar seus pensamentos e suas palavras?

Pense bem e liste apenas 7 palavras negativas que já fazem parte de seu dia a dia! Seja muito sincero e anote nas linhas abaixo, pois juntos iremos trabalhar para transformá-las em palavras positivas!

1. ____________________

2. ____________________

3. ____________________

4. ____________________

5. ____________________

6. ____________________

7. ____________________

Terminou de escrever? Agora, leia cada palavra, vou esperá-lo! Leu? Agora peça ao Criador que limpe o seu coração dessas palavras e prometa a Ele que nunca mais irá pensar nem falar dessa forma, pois a partir de hoje, seu coração estará cheio de alegria, gratidão e amor! Dê esse passo de fé, converse com Deus.

Lembra quando falei que Deus criou o mundo inteiro através de suas palavras? Vamos nos aprofundar neste assunto porque isso é o máximo! Ele criou tudo com PALAVRAS... E com cada palavra ele formou tudo! Sua ordem se cumpria com grande excelência.

Assim foram concluídos os céus e
a terra, e tudo o que neles há.
No sétimo dia Deus já havia
concluído a obra que realizara,
e nesse dia descansou.
Abençoou Deus o sétimo dia e o
santificou, porque nele descansou de
toda a obra que realizara na criação.

Gênesis 2:1-3

Por que será que Deus escolheu as palavras para criar todas as coisas? Podemos entender que a palavra é o clique inicial para a realização de nossos desejos. O fato é que as palavras foram escolhidas por Ele. Deus poderia ter escolhido, por exemplo, um gesto ou o sopro, mas escolheu as palavras, e por isso, hoje, a palavra é tão poderosa.

EXERCÍCIO: COLOCAR EM PRÁTICA A POSITIVIDADE

Vamos começar a construir uma vida de sucesso? De uma forma saudável e grata, escreva 7 palavras positivas que terão impacto em sua vida e na vida de seus familiares! Lembre-se: a partir de hoje elas devem fazer parte de seu vocabulário. Use-as com frequência. Se possível, coloque um lembrete em seu celular, cole post-it na geladeira, na tela do computador, transforme a sua vida e a vida de todos ao seu redor!

1. ______________________________

2. ______________________________

3. ______________________________

4. ______________________________

5. ______________________________

6. ______________________________

7. ______________________________

Terminou de escrever? Aposto que e está rindo, pensando em cada palavra, e em como ela faz bem para a alma... Agora, quero muito que medite em cada uma, seja um profeta de Deus e determine que você e sua família viverão cada palavra!

Não tenha vergonha, libere a positividade! Ah, antes que eu me esqueça, não limite seus sonhos, aplique a sua fé neles.

"Para sempre, ó Senhor, está
firmada a Tua palavra no céu."

– Salmos 119:89 –

RESUMO

Deus tem um lindo caminho, um propósito para sua vida! Às vezes, nos sentimos sozinhos, sem amor, sem atenção. Mas lembre-se que temos um Deus cheio de amor para nos dar. O amor de Jesus para com seus filhos é algo tão perfeito, pois desde que fomos gerados no ventre de nossas mães, Ele já traçou cada passo de seus filhos.

Quando falamos de amor, me vem à mente a palavra VALOR, pois mediante esse amor nos sentimos pessoas importantes. Quantas vezes durante o dia recebemos palavras ou gestos que nos desvalorizam! Seja no trabalho, na faculdade, na escola ou em qualquer outro ambiente, e de repente nos sentimos rejeitados, pessoas sem utilidade, até mesmo na igreja.

Mas quando nos deparamos com o plano de Deus para os seus filhos, já notamos que não existe rejeição para um filho amado do Senhor Jesus.

Você não é um acaso, você é um filho amado e que tem muitos caminhos para trilhar! Deus tem um grande propósito na sua vida, independentemente de qualquer circunstância, você nasceu porque Deus te escolheu.

Às vezes, nos deparamos com sentimentos de rejeição, mas hoje eu te encorajo a ler isso de uma forma diferente.

*Devemos ver em cada situação
a oportunidade tão esperada para mudar o rumo de nossas vidas!"*

– Filipe Iannie –

CAPÍTULO 6

Inspire-se, e aja

Você já ouviu falar do reverendo King? Um ativista que lutou até seus últimos dias pela igualdade racial. Mas o que será que impulsionou ele a isso?

Martin Luther King nasceu em Atlanta, Geórgia, Estados Unidos, no dia 15 de janeiro de 1929. Filho e neto de pastores da Igreja Batista, resolveu seguir pelo mesmo caminho.

Em 1951, formou-se em Teologia na Universidade de Boston. Convertido em pastor, em 1954 Martin Luther King assumiu a função em uma igreja na cidade de Montgomery, no Alabama.

Desde jovem, Martin Luther King tomou consciência da situação de segregação social e racial em que viviam os negros de seu país, em especial nos estados do Sul. Em 1955, começou sua luta pelo reconhecimento dos direitos civis dos negros norte-americanos. Com métodos pacíficos, inspirado na figura de Mahatma Gandhi e na teoria da desobediência civil de Henry David

Thoreau, as mesmas fontes que inspiraram a luta de Nelson Mandela contra o Apartheid, na África do Sul.

Em agosto de 1955, uma costureira negra, Rosa Parks, foi detida e multada por ocupar um assento reservado para as pessoas brancas, pois nos ônibus de Montgomery o motorista tinha que ser branco e os negros só podiam ocupar os últimos lugares. O protesto silencioso de Rosa Parks propagou-se rapidamente. O Conselho Político Feminino organizou um boicote aos ônibus urbanos como medida de protesto.

Martin Luther King apoiou a ação e, pouco a pouco, milhares de negros passaram a caminhar quilômetros a caminho do trabalho, causando prejuízo às empresas de transporte. O protesto durou 382 dias, terminou em 13 de novembro de 1956, quando a Suprema Corte norte-americana aboliu a segregação racial nos ônibus de Maontgomery.

Foi o primeiro movimento vitorioso do gênero registrado no solo americano. No dia 21 de dezembro de 1956, Martin Luther King e Glen Smiley, sacerdote branco, entraram juntos e ocuparam lugares na primeira fila do ônibus.

Em 1957, King fundou a Conferência da Liderança Cristã do Sul, sendo ele o primeiro presidente. Passou a organizar campanhas pelos direitos civis dos negros. Em 1960, conseguiu liberar o acesso dos negros em parques públicos, bibliotecas e lanchonetes.

Em 1963, sua luta alcançou um dos momentos culminantes: ao liderar a "Marcha sobre Washington", que reuniu 250 mil pessoas, quando fez seu importante discurso intitulado "I Have a Dream" (Eu tenho um sonho), onde descreve uma sociedade em que negros e brancos possam viver harmoniosamente.

ELE DEIXOU UM LEGADO

Nesta mesma marcha, Martin Luther King e outros representantes de organizações antirracistas foram recebidos pelo presidente John Kennedy, que se comprometeu a agilizar sua política contra a segregação nas escolas e a questão do desemprego que afetava de modo especial toda a comunidade negra.

No dia 22 de novembro de 1963, o presidente foi assassinado. Em 1964 foi criada a Lei dos Direitos Civis, que garantia a tão esperada igualdade entre negros e brancos. No mesmo ano Martin Luther King recebeu o Prêmio Nobel da Paz.

"O que me preocupa não é o grito dos maus. É o silêncio dos bons."

– Martin Luther King –

Fontes do site "A mente é maravilhosa" dizem: Um estudo realizado por Dennis Charney, da Universidade de Medicina de Icahn no Monte Sinai, e por Steven Southwick da Universidade de Medicina de Yale, onde se determinou de que maneira funciona o cérebro das pessoas resilientes e das não resilientes. Estes seriam os principais dados a se ter em conta.

Há pessoas que se adaptam muito melhor do que outras a situações de estresse ou pressão. A origem estaria em um controle mais efetivo, a nível neurológico, de hormônios como a adrenalina, a noradrenalina e o cortisol.

Diante de uma ameaça, estes três neurotransmissores surgem no cérebro, mas quando o foco ameaçador desaparece, a pessoa mais resiliente fará com que esses três hormônios desapareçam imediatamente. Em compensação, a personalidade menos resiliente continuará sentindo essa ameaça psicológica de forma persistente, porque ainda existirá um excesso de cortisol, adrenalina e noradrenalina em seu cérebro.

O cérebro das pessoas resilientes se caracteriza, também, por um uso muito equilibrado de dopamina. Este neurotransmissor, relacionado à recompensa e à gratificação, é muito útil para nos fazer enfrentar a adversidade.

Algo a se ter em conta é que, em estados de estresse crônico e ansiedade, nosso cérebro deixa de liberar dopamina, o neurotransmissor do prazer, é aí que surgem o desamparo e a dificuldade de agir com resiliência.

Transforme suas feridas em sabedoria!

– Oprah Winfrey –

LIBERTE-SE DAS CRENÇAS LIMITANTES

Sem dúvidas Davi foi o maior rei de Israel. O nome Davi significa amado. Segundo rei de Israel, sendo o substituto do fracassado rei Saul hábil guerreiro, político, poeta e instrumentista, foi escritor da maioria dos Salmos.

Ele foi uma das figuras mais proeminentes da história do mundo e certamente também entre os personagens da Bíblia.

É o mais famoso antepassado de Jesus Cristo. Jesus não é chamado filho de Abraão, ou filho de Jacó, mas filho de Davi. Não é por acaso que até a bandeira de Israel leva uma estrela. A Estrela de Davi. É um símbolo também conhecido como escudo de Davi.

O Senhor é a minha luz e a
minha salvação; de quem terei
medo? O Senhor é a fortaleza da
minha vida; a quem temerei?

– Rei Davi –

Ele era diferenciado, foi o único homem na Terra a ser comparado segundo o coração de Deus. Davi era um homem como nós. É certo que sua motivação e força eram de se chamar a atenção, assim como sua bravura e sua coragem nas batalhas. Homem destemido desde muito jovem, isso fez com que seu nome fosse conhecido e respeitado e todas as nações existentes o temiam.

Era um rei amado e querido, pois sempre expressava amor e gratidão por tudo que tinha, em tudo o que produzia, ele era o melhor. Mas, assim como nós, ele era um homem de carne, tinha sentimentos e seguramente suas fragilidades.

Porém, ele tinha um segredo e esse segredo é a chave que sempre abriu portas na vida de Davi.

Ele era o maior homem de oração que o Universo já presenciou, prova disto é o livro dos Salmos.

O maior livro da Bíblia em que 77 deles é de Davi. Certa vez, voltando de uma batalha com seus homens de guerra, ao avistar a cidade de Ziclague – que tem um significado em hebraico, é o nome de uma antiga cidade de Israel e era uma cidade que pertencia à tribo de Judá, a atual Israel, mas foi cedida à tribo de Simeão. Davi percebeu de longe que algo não estava bem. E aproximando-se dela, comtemplou o que seus olhos jamais desejariam ter visto!

Davi e os seus homens vieram à cidade, e ei-la queimada, e suas mulheres, seus filhos e suas filhas eram levados cativos. Então, Davi e o povo que se achava com ele ergueram a voz e choraram, até não terem mais forças para chorar.

– 1 Samuel 30:3-4 –

Quem nunca chorou? Você não precisa ser um religioso para chorar, nem rico, ou pobre. Todos, em algum momento na vida, permitimos as lágrimas rolarem dos nossos olhos. Seja por momentos tristes, dor, perdas ou por momentos felizes que alegram nossa alma e o coração. Naquele caso a dor dele era porque as famílias haviam sido levadas por seus inimigos.

Mas é normal chorar? Claro que sim! Até Jesus chorou. Todos em algum dado momento de nossas vidas vamos às lágrimas, alguns aos prantos até. Isso faz parte da nossa natureza humana. Por outro lado, chorar lava a alma.

O que não pode acontecer é a pessoa querer viver chorando ou reclamando da situação que ela está vivendo. Existem pessoas que os anos passam e a vida dela não sai do lugar. Mas por que? Faltam atitudes, faltam ações.

VEJA A AÇÃO, E ATITUDE DE DAVI DIANTE DE SEUS PROBLEMAS!

Então, consultou Davi ao Senhor, dizendo: Perseguirei eu o bando? Alcançá-lo-ei? Respondeu-lhe o Senhor: Persegue-o, porque, de fato, o alcançarás e tudo libertarás.

– 1 Samuel 30:8 –

O REI DAVI ERA RESILIENTE!

Resiliência significa: a habilidade de persistir nos momentos difíceis mantendo a esperança e a saúde mental. Pessoas altamente resilientes tornam-se mais fortes após situações difíceis. Por que isso acontece? Porque elas desenvolvem confiança em si mesmas, aprendendo novas formas de lidar com os eventos.

Em geral, a resiliência depende de algumas condições psicológicas internas e externas. No nível interno, são favorecidas as pessoas otimistas, que assumem a responsabilidade pelas próprias escolhas, que prezam a autonomia, que estabelecem vínculos sociais e familiares positivos e que são flexíveis no que diz respeito à mudança de posicionamentos, sentimentos e pensamentos.

Ainda que eu ande pelo vale da sombra da morte, não temerei mal algum, pois tu estás comigo.

– Moisés –

Quando Davi e seus valentes soldados chegaram ao acampamento de seus inimigos, avistaram-nos e se depararam com eles fazendo uma enorme festa. Eles bebiam, comiam, e gargalhavam pelo grande estrago que tinham feito. E hoje não é diferente: enquanto você fica prostrado, desanimado pelos cantos, seus problemas ficam tirando sarro e rindo de você.

Causei a doença nela, na família dela, e ela nem reage, coloquei a miséria, e ela não reage. Levei o marido embora, estou destruindo os filhos, levei a paz, o amor, a alegria. E ela não reage. Até quando você estará nessa situação? Saia dessa zona de conforto e diga: Chega! Acabou! Minha vida muda hoje!

Davi era resiliente, seja você também um; lute, se esforce, persevere e alcance muito mais do que você perdeu, assim como foi com Davi!

Davi salvou tudo o que haviam tomado os amalequitas; também salvou as suas duas mulheres. Não lhes faltou coisa alguma, nem pequena nem grande, nem os filhos, nem as filhas, nem o despojo, nada do que lhes haviam tomado: tudo Davi tornou a trazer.

Também tomou Davi todas as ovelhas e o gado. -1 Samuel 30:18-20 -

Se você ainda não desistiu, é porque
você sabe que vale a pena.

– Filipe Iannie –

Às vezes, tudo que você quer é parar. Você sabe que não deveria, mas nada parece melhor do que voltar para a cama e se esconder embaixo das cobertas. A ciência da coragem e resiliência está nos ensinando muito sobre o porquê de algumas pessoas redobrarem seus esforços enquanto outras tantas desistem. A decisão está em suas mãos.

Quantas vezes você já desistiu? Talvez você tenha até perdido as contas. Mas ninguém está aqui para lhe julgar ou condenar. Estamos aqui para lhe motivar e afirmar que tudo que sua alma desejar Deus tem o poder para lhe entregar! Saia dessa zona de conforto que lhe aprisiona e seja feliz!

> ***Clamou este aflito, e o Senhor o ouviu e o livrou de todas as suas tribulações. O anjo do Senhor acampa-se ao redor dos que o temem e os livra. Muitas são as aflições do justo, mas o Senhor de todas o livra.***
>
> **– Rei Davi –**

EXERCÍCIO PARA A MUDANÇA DE MINHA VIDA

Gostaria de propor um exercício a você que tem chorado há muito tempo por algum problema em sua vida ou na vida de pessoas próximas a você. Pegue um lenço, se não tiver pode ser um pedaço de papel higiênico.

Escreva nele o seguinte: nome completo e logo escreva 3 fatos que lhe fazem chorar, sejam eles em qualquer área de sua vida.

Durante algum dia da semana, você vai fazer sua oração a Deus pela madrugada, pedindo que Ele seque suas lagrimas. Uma vez usado esse lenço, você vai queimá-lo.

Tudo que se move em nossa vida é pela fé. Então creia que assim como eles se decimam, que assim se decimem seus problemas! Mas claro que você não vai fazer isso e ficar de braços cruzados! Vá à luta, você é um vencedor.

E lhes enxugará dos olhos toda lágrima,
e a morte já não existirá, já não haverá
luto, nem pranto, nem dor, porque as
primeiras coisas passaram. E, aquele
que está assentado no trono disse:
Eis que faço novas todas as coisas.

– Apocalipse 21:4-5 –

RESUMO

Existem situações na vida que nos fazem ficar angustiados, pensativos e nos levam a perder o foco, assim acabamos não agindo ou pior, acostumamos a conviver com a situação. Para resolver isto, antes de qualquer coisa, é preciso tomar uma atitude, devemos desenvolver confiança em nós mesmos, aprendendo novas formas de lidar com os problemas. Lute, se esforce, persevere e alcance muito mais do que você perdeu, assim como foi com Davi.

Sempre ouvimos que devemos agir e fazer as coisas acontecerem, isto é algo que também falo para mim muitas vezes. "Faça acontecer" é a minha frase mágica, que impulsiona e me motiva a resolver algo que me incomoda, assim não fico esperando sempre por algo. Estamos aqui para lhe motivar e afirmar que tudo que sua alma deseja Deus tem o poder para lhe entregar! Saia dessa zona de conforto que lhe aprisiona e seja feliz!

Então você pode perguntar: mas o que eu faço? Qualquer coisa, mas faça! Não fique parado esperando as coisas acontecerem, pense um pouco e aja, pois uma atitude leva a outra e é desta forma que você poderá chegar aos resultados que espera.

Vá à luta e faça acontecer porque você já é um vencedor!

Se você eleva seus padrões, mas não acredita que consegue realmente atingi-los, você acabou de se sabotar."

– Stephen P. Robbins –

CAPÍTULO 7

Governando minha mente

O maior poder do mundo, a fonte de energia vibracional mais poderosa do universo, está no céu! Quando Jesus Cristo disse: "O que ligardes na Terra será ligado no céu, e tudo o que desligardes na Terra será desligado no céu", Ele deixou claro que nós gerenciamos como será a nossa trajetória aqui no mundo.

Dentro de nós existe uma chave, podemos chamá-la de fé, que significa: certeza do imaginável. Quando você consegue decodificar essa chave, ou seja, decifrar a famosa senha, o que você almejar, você receberá!

Exemplo: para você acessar a rede de um sistema, você precisa de uma senha, correto? Com a senha você entra na rede e passa a estar conectado! Assim acontece com a fé, quando você sabe como usá-la, tudo flui. A partir desse exato momento, se passa a ter um acesso direto aos céus. Você passa a navegar no Wi-Fi Celestial!

A ENERGIA

O para-raios foi inventado por Benjamin Franklin em 1752, quando fez uma perigosa experiência utilizando um fio de metal para empinar uma pipa de papel e observou que a carga elétrica dos raios descia pelo dispositivo, ou seja, as pontas do para-raios serviram para atrair os raios.

Talvez, você esteja se perguntando por que foi escrito isso aqui em cima, sobre a energia... É porque quero mostrar como funciona a energia no sentido da física para aplicarmos em nossas vidas, no sentido da alma.

E O QUE É UMA ENERGIA POSITIVA?

Energia é tudo aquilo que nos rodeia, mas não conseguimos ver e nem tocar, assim como o vento, que não vemos e não o tocamos, mas o sentimos. Não é um campo material, e por isso, infelizmente muitas pessoas não acreditam, entretanto, sem dúvida interfere na vida de cada um de nós.

A energia pode ser sentida através de um ambiente, de um contato com uma pessoa, de uma oração, de um pensamento. Porém, para consegui-la em seu sentido amplo, você deve ajudar o universo, por meio de sua positividade.

O mundo em que vivemos é controlado por diversas energias positivas, como: alegria, amor, paz, riqueza... entre outras, e por energias negativas, como: doença, tristeza, miséria, desgraça, entre outras, que infelizmente conhecemos.

Assim como existe o para-raios para o sentido da física, acredito que certamente também temos um para-raios que existe dentro de cada um. E com isso iremos atrair alguma energia, seja ela boa ou ruim, mas temos o poder da escolha, qual energia iremos absorver!

Assim como se prepararam um edifício ou uma casa com para-raios, pois não se sabem o dia nem a hora em que os raios virão, é necessário também que você se prepare para combater a negatividade.

Somos privilegiados, pois temos dentro de nós uma ferramenta muito eficaz, mas infelizmente muitas pessoas não sabem usar, e é por isso, que quero ensiná-los, porque quando você coloca seu para-raios para trabalhar, a vida fica mais leve, pois você tem o poder de escolher qual energia absorverá! Uma esponja consegue absorver de tudo.

Caso você ainda esteja meio confuso, vou exemplificar o para-raios: digamos que ele tem um filtro, capaz de filtrar todo o tipo de energia, ou seja, com ele é possível reter a energia negativa e absorver a energia positiva, conseguiu entender?

A PARTIR DE HOJE, A SUA ENERGIA POSITIVA PREVALECERÁ, E VOCÊ SERÁ VITORIOSO!

Eu já entrei em casas que senti uma energia muito ruim, um clima pesado, cheguei a ouvir de pessoas que estavam comigo: "Depois que sai daquela casa, me senti sobrecarregado...

pesado". Isso já deve ter acontecido com você também, ou com algum amigo, mas certamente já ouviu isso de alguém.

Por outro lado, já entrei em lugares onde senti uma energia positiva muito grande, um clima motivador, uma sensação maravilhosa que, por sua vez, entrei triste e sai revigorado, pronto para continuar a minha luta porque absorvi aquela energia para a minha vida! Mas, como explicar isso?

ABSORVERMOS HÁBITOS

Sabia que, quando convivemos muito tempo com alguém, acabamos assimilando alguns de seus hábitos? Mesmo que não queira, mas acontece. Por isso, devemos vigiar em todo o momento, devemos escolher com quem andar porque cedo ou tarde iremos estar como ela. Você já deve ter ouvido, *Nossa, aquele menino é igual ao pai!*

> *"O que anda com os sábios*
> *ficará sábio, mas o companheiro*
> *dos tolos será afligido."*
>
> **– Provérbio 13:20 –**

Quando Pedro negou a Jesus, lhe disseram: "Você é um deles, pois a sua forma de falar é como a Dele." Pedro tinha convivido com Jesus e,por isso, absorveu a energia do Messias.

Isso acontece com você também, tenho certeza. Quando assistimos a um filme de ação como *Velozes e furiosos*, por exemplo, saímos do cinema nos sentindo um piloto, não é mesmo? Ou quando assistimos a um filme de amor, por exemplo, o *Como eu era antes de você*, saímos melancólicos e românticos, concorda? Isso acontece, porque absorvemos a energia do filme.

USE APENAS PALAVRAS POSITIVAS

Essa é a energia motivadora que irá mudar o rumo da sua vida: a palavra do Criador! Atraia energia positiva para a sua vida, elimine o vocabulário negativo acerca de si mesmo e do mundo. De fato, o subconsciente registra o que falamos sem ponderar a respeito, então se você vive dizendo coisas negativas sobre si mesmo, o seu subconsciente estará registrando isso!

Espero que você já tenha mudado o seu vocabulário, mas caso ainda exista algum pensamento negativo aí, eliminaremos de vez! No momento em que vier um pensamento negativo, troque imediatamente pelo positivo, isso será um exercício diário; confio em você, eu sei que você conseguirá.

Para isso, vamos fazer um exercício juntos... quando a energia negativa chegar, você estará pronto para combatê-la e absorver a positiva. Pronto? Respire fundo e vamos começar!

Quando sua mente lançar um pensamento ruim, você irá trocar por um positivo, vamos lá...

- Sua mente dizia: minha vida está uma droga!
- Sua mente DIZ: minha vida está uma maravilha, obrigado, Senhor!

- Sua mente dizia: é impossível ganhar essa causa!
- Sua mente DIZ: obrigado, Senhor, por me fazer vencer esta causa!

- Sua mente dizia: estou cansada do meu marido!
- Sua mente DIZ: obrigada, Senhor, por transformar meu marido em um homem bom, servo de Deus e excelente pai para os meus filhos.

- Sua mente dizia: não aguento mais minha esposa!
- Sua mente DIZ: obrigado, Senhor, pela vida da minha esposa, obrigado por transformá-la em uma mulher abençoada, temente a Ti e uma mãe maravilhosa!

"Você é um para-raios vivo. Você atrai para a sua vida pessoas, alegria e gratidão, para isso é preciso que esteja em harmonia com seus pensamentos positivos. Qualquer coisa em que você se concentre, com toda sua fé, você atrai para sua vida. Podemos nomear essa energia como: energia positiva em movimento!"

– Filipe Iannie –

Quando você se despoja de toda a negatividade e passa a usar sua energia a seu favor, conhecida como fé, sua vida mudará por completo! Claro, se for bem utilizada!

Posso afirmar que da noite para o dia tudo começará a se mover a seu favor. Como os céus anunciam que irá chover por meio das nuvens, assim também, quando você inicia uma dieta, o seu corpo responde.

O tempo para isso acontecer não importa, às vezes você perde 1 quilo em um dia, às vezes você perde 100 gramas em 2 dias, mas o que importa é que acontecerá! Mantenha sempre a positividade, trabalhe a seu favor e certamente você desfrutará dos doces frutos dessa energia motivadora.

"Quando você pensa nas coisas que deseja, e se sente bem, imediatamente entra em sintonia com aquela frequência, o que então leva a energia de todas aquelas coisas a vibrar para você, e elas aparecem na sua vida. Segundo a Lei da Atração, os iguais se atraem. Você é um ímã energético, portanto energiza eletricamente todas as coisas, atraindo tudo que deseja. Os seres humanos gerenciam a sua própria energia magnetizante porque ninguém externo a eles pode pensar ou sentir por eles, e as nossas frequências são criadas por pensamentos e sentimentos."

– Ben Johnson –

Infelizmente perdemos tempo focando em nossa realidade atual; digo isso porque também perdi tempo, olhando para como eu vivia, entretanto, não é assim que iremos vencer.

ACREDITE EM VOCÊ

Por isso, caro leitor, vença sua timidez ou a sua limitação atual. Acredite em você, porque eu acreditei em mim. Você é capaz, pare de achar que todos são melhores do que você, porque você nasceu para vencer!

Vença também a autopiedade, qual limitação tem assombrado a sua vida? O medo? O preconceito? O bullying? A negatividade? Hoje, isso precisa acabar, precisa ter um fim! Não deixe as pessoas terem dó de você. Coloque a sua energia positiva para funcionar, lembre: você nasceu para VENCER, VENCER, VENCER, VENCER!

Quero hoje dar os parabéns porque você é vencedor! Vamos, coloque um sorriso no rosto, você é um VENCEDOR!

EXERCÍCIO: ABSORVER E TRANSBORDAR ENERGIA POSITIVA

Você tem livros, jornal ou revista em casa? Escolha um deles. Abra numa página qualquer. Pegue uma folha de papel, anote as palavras que você encontrar que deem ideia de: conquista, vitória, alegria, felicidade, amor, paz, saúde, esperança, família e felicidade.

Concentre-se apenas na energia positiva, aquela que contribui para elevar o seu espírito para pensamentos bons. Transcreva as palavras encontradas nas linhas abaixo. Vamos além ainda, compartilhe as palavras em seu perfil do Facebook com a frase: "Selecionei estas palavras para fazer o seu dia melhor!" Você verá que resultado maravilhoso será capaz de alcançar. Coisa boa gera coisa boa! E agora, mãos à obra, vamos começar!

"Você não é uma criação divina
em ruínas, e sim, um filho de
Deus em reconstrução."

– Filipe Iannie –

A superação está dentro de você. E dentro de você existe também uma solução que pode apenas não ter sido enxergada ainda. Acredite, sempre há uma saída, uma ideia, uma estratégia, uma direção dada por Deus, que irá revolucionar a sua vida!

"Seja qual for a cidade onde mora,
você tem no corpo quantidade
suficiente de energia, de força
potencial, para iluminar a cidade
por quase uma semana."

– Bob Proctor –

Hoje, você pode estar no pó, nas cinzas, no fundo no poço, mas eu sei que você não está conformado com essa situação! E também sei, existe uma pequena chama de fogo, uma confiança, uma certeza de que irá superar todas as dificuldades.

VOCÊ É A ENERGIA MAIS PODEROSA DO UNIVERSO, LEMBRA?

Você não deixou o MURAL DOS MEUS SONHOS esquecido na porta do armário, não é? Então, vamos voltar a ele. Agora, vou contar o porquê realmente acredito nesta atividade. Eu mesmo elaborei o meu e alguns dias depois de escrever nele, estava em uma igreja e o pastor me disse: "Você vai fixar o seu salário e Deus vai abençoar." Continuou dizendo: "Não importa o que hoje pareça impossível. Nesse ano tudo será diferente, e você vai conquistar o impossível".

Lembro-me, como se fosse ontem, meus olhos se encheram de lágrimas e eu pensei: "Estou no caminho certo! Vou continuar insistindo!" Mentalizei aquele desejo diariamente, me conectei com a REDE CELESTIAL! Vejo que o grande problema das pessoas é desistir quando estão tão perto da vitória, por acharem que já lutaram muito, e que nada tem mudado, mais não desista jamais.

Eu sei que muitos de vocês estão lutando há anos por algum sonho, sei também que muitas das vezes sentem-se cansados, aflitos e até mesmo sobrecarregados. Porém você precisa buscar uma força interior e o que me ajudou muito, foi olhar e me lembrar do Mural, faça isso também, quando tudo parecer desmoronando, vá e olhe para o seu mural, lembre-se o porquê tem lutado, que certamente, lhe dará força para seguir em frente!

Quero lhe propor um passo de fé: a cada desejo realizado, escreva ao lado com uma caneta de cor diferente um agradecimento a Deus, junto com um versículo que resuma esse louvor.

Além de ser bom para você, o que acha de compartilhar com seus amigos? Todos poderão ver que Deus é em sua vida, certamente dará forças para todos os que lerem... vou dar uma ideia, tire uma foto do seu MURAL DOS MEUS

SONHOS, com o agradecimento e o versículo escrito e compartilhe em suas redes sociais, será muito bom.

E tem mais, quando todos os seus sonhos forem realizados e seu MURAL DOS MEUS SONHOS estiver concluído, faça um novo, com novos sonhos, com novos propósitos, repita todo o procedimento... ore, tenha fé, lute... e no momento certo se realizará.

Quanto mais ambiciosos e ousados forem os seus projetos, mais frutos você colherá.

E nunca se esqueça, por mais que o universo tente contaminá-lo com energias negativas, é você quem escolhe o que irá filtrar.

RESUMO

Existem muitas coisas no mundo que nós não conhecemos e mesmo assim somos afetados por elas. Por isso, o que eu e você temos falado, mesmo que por falta de conhecimento tem afetado a nossa realidade. Você atrai a bênção de Deus através de palavras proferidas, mas também pode atrair maldição através de palavras ditas. Não amaldiçoe o que você lutou para conseguir ou qualquer outra coisa, atraia bênçãos ao invés de ficar reclamando pelo que já tem.

Declare a Palavra de Deus nos vários momentos da vida, em intercessão, em adoração, em planejamentos pessoais, conversando com as pessoas, principalmente em lutas declare a vitória. A nossa vitória começa com aquilo que eu falo e chamando ao Senhor para lhe socorrer, declarar com os lábios a palavra de Deus, isso gera fé nos nossos corações e fé tem o poder de mover no sobrenatural. Agradeça ao Senhor pelas coisas mais simples, pelo seu dia, sua esposa, sua casa, seus filhos e assim em diante, traga paz para perto da sua família e para o seu lar. Esse é um grande começo para as coisas da sua vida começarem a fluir e dar certo. Discipline a sua mente a reclamar menos e agradecer por tudo que Deus proporciona na sua vida. Diga a si mesmo palavras positivas, pois as palavras têm poder sobre a nossa vida, nunca devemos nos esquecer das maravilhas presenteadas por Deus. Pense positivo e lembre-se: pensar positivo ou negativo é uma escolha, então pense e tome atitudes que elevem o seu contentamento para uma vida de paz com Senhor Jesus.

Há mais pessoas que desistem, do que pessoas que fracassam."

– Henry Ford –

CAPÍTULO 8

O poder da oração

Já aprendemos sobre o poder do pensamento e o poder das palavras, correto? Neste capítulo falaremos do poder da oração. A oração é uma fusão do pensamento com as palavras voltadas a Deus. Mesmo com a correria da vida, muitas pessoas encontram tempo para pensar e falar com amigos, porém, não têm tempo para Deus, deixando para segundo plano a oração. Entretanto, para que tudo vá bem em nossas vidas, precisamos conversar diariamente com o Pai celestial.

REDE CELESTIAL

O livro *Reinos em Guerra* fala sobre as batalhas que temos no mundo invisível. O profeta Daniel esteve jejuando e orando por três semanas. Ele queria entender uma mensagem que Deus havia lhe entregado. Esgotado e sem forças, ele abriu os olhos e viu a imagem de um homem em pé diante dele. Ele brilhava como a luz do sol e também reluzia como ouro e pedras preciosas e flamejava com o fogo. Sua voz era alta, forte e imponente.

De repente, uma mão tocou em Daniel. Seu corpo começou a tremer. Então, aquela figura celestial se dirigiu a ele pelo nome: "Daniel, homem muito amado, entende as palavras que te vou dizer, e levanta-te sobre os teus pés; pois agora te sou enviado". – Daniel 10:11 e 12 –

E aquele ser continuou: "Não temas, Daniel; porque desde o primeiro dia em que aplicaste o teu coração a compreender e a humilhar-te perante o Teu Deus, são ouvidas as tuas palavras, e por causa da tua oração eu vim".

A BATALHA NO MUNDO ESPIRITUAL

O que podemos aprender da história que acabamos de ler em Daniel é que existe outro mundo além deste. O Mundo Espiritual! Como expressou Shakespeare por meio de Hamlet: "Há mais coisas entre o céu e a terra do que supõe nossa vã filosofia". Daniel estava tentando entender os acontecimentos de seu mundo e época quando Deus lhe deu um pequeno vislumbre dos bastidores para lhe mostrar essa verdade.

BATALHAS PESSOAIS DA VIDA

Temos que ir à Bíblia para compreender essa dimensão espiritual que afeta os grandes eventos de nosso mundo diariamente. Essas mesmas forças podem afetar sua vida provocando-lhe raiva e inveja, aproveitando-se das fraquezas emocionais que o mantém desanimado e o impedem de ter uma vida produtiva, feliz e equilibrada.

Você precisa entender que há algo que você pode fazer com esse conhecimento. Você pode fazer a diferença em sua vida para seu próprio bem.

Mas você tem que se afastar um pouco desse caminho costumeiro, sem foco e cheio de ocupações, e olhar de uma maneira nova e diferente para Deus, para este mundo e para o que o faz girar.

Quantas vezes você já disse: "Amanhã vou orar e fazer um propósito com Deus por uma determinada causa?" Aparentemente você está decidido, e está tudo certo para o dia de amanhã assim começar, mas quando você se compromete com isso, muitas situações inusitadas acontecem, não é assim?

VOU LISTAR ALGUMAS SITUAÇÕES ABAIXO

- Um familiar liga depois de tantos anos e não para de falar.
- Você liga o computador para imprimir um boleto e quando percebe está há horas ali.
- A diretora da escola do seu filho liga e diz: "Amanhã preciso que venha até a escola, quero conversar urgentemente com você!"
- Seus pais ligam falando que irão passar o dia em sua casa.

E tantas outras situações que eu poderia colocar aqui e, olha, seria uma lista enorme, porque toda vez que decidimos separar um momento para falar apenas com Deus acontece algo que nos impede.

> *"Há mais pessoas que desistem do que pessoas que fracassam."*
>
> **– Henry Ford –**

EXERCÍCIO: 3 ATITUDES PARA MUDAR A ROTINA

Com isso, quero lhe propor um exercício diferente. Quero que escreva três atitudes que o ajudarão a se aproximar de seus objetivos. Está um pouco perdido? Vou dar um exemplo para clarear sua mente.

1. Orar 3 vezes ao dia.
2. Jejuar 3 vezes na semana (domingo/quarta/sexta).
3. Ir à igreja todos os domingos.

Compreendeu? Vamos lá, agora é a sua vez!

____

____

____

____

No momento em que você determina em seu coração que alcançará algo, imediatamente energias negativas se propõem a roubar a sua confiança e criam situações para distanciá-lo de Deus, consequentemente afastar você de seus sonhos.

"Toda vez que nos prontificamos a alcançar alguma coisa e desistimos, adquirimos o hábito de fracassar. E isso se torna um vício irreparável."

– Filipe Iannie –

E é exatamente por isso que fizemos esta lista, pois esses três passos deverão fazer parte da sua rotina, independente do que aconteça, você deverá praticar; prometa para você mesmo e para Deus!

LEMBRANÇAS DA INFÂNCIA

Lembro-me de quando era pequeno e meu pai tinha problemas no trabalho, ele não ficava reclamando com os amigos ao telefone ou para a minha mãe, e muito menos culpando a Deus por aquela situação, mas ele tomava uma atitude maravilhosa.

Ele chamava todos nós para a sala. Eu, meus irmãos, minha mãe e dizia: "Vamos orar juntos, dobrem os joelhos". Ali ajoelhávamos, dávamos as mãos e ele agradecia a Deus por tudo o que estávamos passando.

Pois ele dizia que aquela situação estava nas mãos de Deus, certamente, Ele a estava contornando e a vitória de fato viria.

"Dez minutos orando são melhores do que um ano murmurando."

– Vincent Cheung –

E isso se repetia três vezes ao dia; se a situação piorasse, a oração seria de madrugada e se ficasse mais estreita, ah, meu caro leitor, orávamos juntos de hora em hora. E sempre vencíamos juntos e em uma só fé!

A ORAÇÃO

Certa vez, a Rainha Elizabeth, uma das mulheres mais influentes e protegidas do mundo disse: "Tenho mais medo de um crente de joelhos do que de todo o exército britânico".

O Reino Unido conta com cerca de quinhentos mil soldados, entre os da ativa e da reserva. E, ainda assim, uma rainha com esse poder diz temer muito mais a um homem de oração que ao seu poderoso exército?

Você sabe o motivo disso? Porque ela sabe que quando um homem dobra seus joelhos e conversa com Deus, qualquer situação mudará. E independente do exército, por mais preparado que seja, todos caem perante o Rei dos Reis.

Certa vez, Jesus Cristo disse:
"Acaso, pensas que não posso
rogar a meu Pai, e ele me
mandaria neste momento mais
de doze legiões de anjos?"

– Mateus 26:53 –

A legião era uma unidade militar de infantaria básica nos exércitos da República e do Império Romano. A legião romana era formada por 10 mil legionários e centenas de cavaleiros. A palavra legião deriva do latim *legio* = recrutamento ou alistamento.

Talvez você esteja pensando: "Conseguiriam doze legiões de anjos – cento e vinte mil – vencerem um exército com mais de quinhentos mil homens? Não estariam eles em desvantagem?" Não se engane, caro leitor, os anjos do exército do Deus vivo são os mais poderosos do universo. Observe o texto sagrado!

***"Porque eu defenderei esta cidade,
para a livrar, por amor de mim e
por amor de meu servo Davi. Então,
naquela mesma noite, saiu o Anjo
do Senhor e feriu, no arraial dos
assírios, cento e oitenta e cinco
mil; e, quando se levantaram os
restantes pela manhã, eis que
todos estes eram cadáveres."***

– 2 Reis 19:34 e 35 –

Vamos voltar às aulas de matemática e calcular um pouco. Se apenas um anjo do Senhor estimasse que as 12 legiões de Anjos seriam capazes de derrotar um exército equivalente a 22 milhões e 200 mil soldados, aproximadamente. Com certeza esse número é de colocar medo em qualquer pessoa e em qualquer exército! Além disso, nenhum exército do mundo teria essa quantidade de soldados, sem contar que os Anjos ainda possuem uma força extra, o poder de Deus! Vamos ler: "Porque aos seus anjos dará ordens a teu respeito, para que te guardem em todos os teus caminhos. Eles te sustentarão nas suas mãos, para não tropeçares nalguma pedra". – Salmos 91:11 e 12 –

Conseguiu entender a imensidão do poder da oração? Com ela TUDO É POSSÍVEL! O Pai está sentado no trono, com os ouvidos preparados para ouvi-lo e agir a seu favor!

EXERCÍCIO: CONVERSAR COM DEUS

Se você está passando por algum problema difícil em qualquer área da sua vida, quero que converse com Deus, assim como meu pai fazia, quero muito que você faça!

"Você é como uma torre de transmissão humana transmitindo uma frequência com os seus pensamentos. Se quiser mudar qualquer coisa em sua vida, mude a frequência mudando seus pensamentos."

– Rhonda Byrne –

Reúna sua família à noite, deem as mãos e orem todos juntos! Se preciso for, repita de madrugada ou de 3 em 3 horas, faça um cronograma de oração para esta semana. E creia que o Senhor enviará os Anjos para guerrear por vocês!

Você pode orar de várias formas: com palavras (assim como você conversa com algum amigo), pode ser em pensamento (porque Deus tem poder de ler nossos pensamentos), pode ser com um sentimento no coração (Ele pode ver o que ninguém vê), ou até mesmo com lágrimas silenciosas (o Senhor consegue ler e entender as lágrimas). E saiba que Ele sempre virá com o socorro, independente do tipo de oração.

Acredite, se todas as pessoas orassem da mesma maneira com que liberam a negatividade, o mundo seria transformado! Se você foi (ficou no passado) essa pessoa, pare de perder tempo e vá falar com Deus, Ele está esperando a sua prece! Coloque em prática tudo o que aprendeu neste livro, exercite a sua fé. Você pode mudar o rumo da sua vida!

EXERCÍCIO: POTE DE VITÓRIAS

Separe um pote de vidro, pode ser aqueles de palmito ou azeitona, sabe? Sempre que acontecer uma coisa positiva escreva em um pedaço de papel, dobre e coloque dentro do vidro.

Qualquer conquista deve ser considerada: um aumento no salário, um elogio recebido de alguém que você estime, a conclusão de um curso, um presente que você desejava muito, uma venda feita ou uma boa reunião com cliente, a aprovação do seu filho ou da sua filha no vestibular, momentos com a família e assim vai... cada uma dessas coisas, é uma VITÓRIA!

No final do mês, retire todos os papéis, leia atentamente cada uma de suas vitórias, e relembre cada dia, o mais importante: seja grato por cada uma! Tenho certeza de que quando esse dia chegar, você dará muitas risadas!

Tire uma foto do seu pote e publique em suas redes sociais com uma breve explicação do exercício, assim, outras pessoas também terão acesso a esse maravilhoso hábito de gratidão.

Antes de terminarmos este maravilhoso e poderoso capítulo, quero deixar uma recomendação para o MURAL DOS MEUS SONHOS... Acrescente a promessa de ligar ou enviar uma mensagem para 3 pessoas mensalmente, mas essas pessoas precisam ser distantes; faça isso sem esperar nada em troca! Tenho certeza de que será muito bom para você e para a pessoa que receberá seu carinho!

Então agora você já sabe o que é uma Oração?

Oração é uma prece ou reza dirigida a uma força maior de acordo com a religião e crença. É um ato religioso no qual procuramos uma conexão com um ser divino através de louvores, pedidos, súplicas, dentre outras maneiras. Pode ser feita de forma individual ou coletiva.

Segundo as escrituras: oração é uma via de mão dupla através da qual o crente, com seu clamor, chega à presença de Deus e este vem ao seu encontro com respostas.

RESUMO

A oração é o poder mais precioso que temos. Por meio dela podemos mudar situações que ao nossos olhos são impossíveis, mas que quando colocadas em oração, são levadas ao céu e recebidas pelo nosso Senhor.

Do mesmo modo que o pensamento, a palavra tem poder e a oração também tem. Precisamos entender que sem ela não podemos lutar nossas guerras. Guerras essas que não são contra a carne, mas sim contra potestades e principados. Existe muito mais coisa do que aquelas que podemos enxergar. Existe um mundo espiritual que é muito mais ativo do que imaginamos. Nossas batalhas espirituais são travadas diariamente, são lutas e mais lutas que enfrentamos sem sequer vê-las. E é a partir desse momento que a oração nos guia.

Orar é essencial para que possamos vencer cada luta. A oração tem um poder infinito, e quanto mais buscarmos, mais revestidos de poder seremos. O inimigo faz de tudo para que possamos ficar estagnados e parar o hábito da oração. Ele faz isso porque sabe que quando nos ajoelhamos e buscamos em espírito e em verdade, abrindo nossas bocas e clamando ao Senhor, a vitória é garantida.

Por isso precisamos nos manter firmes, precisamos nos revestir de oração. Às vezes, situações aparecem para nos fazer desanimar na oração. Um dia ora, outro já não ora mais e assim os dias vão passando e você acaba esfriando nesse sentido. E é isso que não devemos fazer. Temos que nos manter firmes, firmar nossas orações e agradecer por tudo.

Se estiver triste, ore. Se sentir medo, ore. Se estiver passando por dificuldades, ore. Se alguém te feriu, ore. Se estiver feliz, ore. Se Deus te deu algo que queria, ore. Mas se ele não te deu, também ore! Você deve entender que a oração é a nossa força, é o nossa fortaleza, é o que nos mantém próximos de Deus. Quando abrimos nossa boca para orar, estamos falando diretamente com o Pai, estamos tendo uma conversa verdadeira e sincera, que sai daquela oração e chega até o Senhor. É na oração que desenvolvemos a intimidade com Deus, e é por meio dela que somos ouvidos. Ele nos escuta e começa a trabalhar a nosso favor para que possamos alcançar a vitória.

Não existe um meio-termo, não existe um atalho, só existe um caminho e o nosso guia é a oração. Falar com Deus nunca é demais. Muitos buscam essa intimidade que poucos têm, mas uma coisa é certa, eles conseguiram porque buscaram e abriram o coração na presença do Senhor.

Sempre que buscamos em oração sentimos o conforto e o agir de Deus em nossas vidas. Saber que Ele trabalhará a nosso favor é extremamente reconfortante e é algo muito especial.

Quando falamos com o Pai, Ele inclina os seus ouvidos só para nos ouvir.

Não pense que Deus é ocupado demais e que nunca vai te ouvir. Se você pensa assim, retire isso da sua vida agora, pois o nosso Senhor sempre te ouvirá, e é isso que ele quer, ouvir a sua voz chamando por Ele e dizendo: Senhor eis me aqui. Peça para Ele te aperfeiçoar na oração e grandes coisas você verá acontecendo na sua vida, graças a oração!

Bem sei que tudo podes, e nenhum dos teus planos pode ser frustrados."

– Jó 42:2 –

CAPÍTULO 9

Calma, tudo está no controle de Deus

O Sistema de ativação reticular (ou SAR) é uma pequena parte do nosso cérebro que é responsável pela filtragem da informação que processamos. É um conceito da neurociência.

A informação que existe à nossa volta não pode ser totalmente absorvida pelo cérebro. Só uma parte é recolhida e nem toda ela é indexada.

Por exemplo, a sua cor preferida é verde, então num mural artístico a tendência é que você preste mais atenção às imagens que apareçam na cor verde. Isso é foco, consegue compreender? Vou dar mais um exemplo, para ter certeza de que você entendeu.

Digamos que você viu um carro e se apaixonou por ele. Quando estiver na rua, pensará: "Nossa, quantos carros iguais àquele que eu gostei!" Não se trata de haver mais carros iguais, trata-se de foco. Você está focado naquele veículo. E por isso sua mente estará obstinada por aquele objeto! E passará a pensar nele 50 vezes mais que antes!

Quando Deus olha para você, Ele enxerga um ser humano forte e focado, um verdadeiro vencedor.

O que é foco? Foco é um substantivo masculino que significa a nitidez de uma imagem, a visão de um objetivo bem definido, o centro e o ponto de convergência.

INSPIRE-SE SEMPRE!

O meu objetivo não é que você pense: "Ah, mas isso só acontece na Bíblia". Não, caro leitor, o meu único objetivo é que você se inspire nesses grandes homens e assim como o Senhor mudou a sorte deles, Ele mudará a sua! Siga os passos desses valentes e terá o mesmo resultado.

> *"Algumas pessoas acham que foco significa dizer sim para a coisa em que você irá se focar. Mas não é nada disso. Significa dizer não às centenas de outras boas ideias que existem. Você precisa selecionar cuidadosamente."*
>
> **– Steve Jobs –**

Quero muito que a partir de hoje você concentre a sua atenção, a sua esperança e a sua fé, numa ótima ideia. E a melhor ideia é, sem dúvida, acreditar em Deus e na sua boa vontade para conosco. Ter foco é fazer da fé o alimento, o caminho, a estrada para a vida eterna.

"Quando saímos do foco, esquecemos que são nossos sonhos que estão em jogo, deixamos de lado muitas coisas importantes, e acabamos colocando em risco tudo que conquistamos."

– Latumia –

EXERCÍCIO: FOCAR NO FUTURO

Vamos começar a colocar o foco em prática? Quero muito que faça esse exercício. Escreva abaixo 5 metas que você tem hoje. Não limite o seu sonho, vamos, agora é momento de definir o seu futuro!

Quero que escreva para não perder o foco.

Faça uma promessa a Deus e diga: "Senhor, eu me proponho a lutar com toda força para realizar cada sonho!"

Mantenha o foco e terá seus sonhos realizados... Durante toda esta semana, no mínimo 10 vezes ao dia, declare: "Eu sei o que quero. Eu tenho foco e minha estrela vai brilhar!"

Pronto? Combinado? Agora escreva suas metas...

____

____

____

____

Já terminou? Antes de darmos continuidade à leitura, quero que pense se em algum exercício você teve o sentimento de inveja, por exemplo, no MURAL DOS MEUS SONHOS: "ah quero ter um carro mais bonito do que o do meu vizinho", caro amigo, a inveja não nos leva ao sucesso e sim à derrota, então, se você escreveu desta forma, quero muito que volte e refaça! Estou aqui para ajudar. Volte lá, e depois quero contar um testemunho de fé que vivi.

UMA EXPERIÊNCIA INCRÍVEL

No ano de 1991, na cidade de Salvador, estado da Bahia. Meu pai era pastor naquela cidade. Na sua folga, que geralmente era aos sábados, decidimos ir à praia, aproveitar umas das maravilhas que Deus nos deu. Tínhamos ouvido falar da praia do Jauá, linda e deserta. Sem pensar duas vezes, meu pai, minha mãe, eu, meus quatro irmãos e minha tia Mônica, seguimos para o passeio, felizes, numa viagem prazerosa, até chegar àquela bela praia. Estávamos muito entusiasmados porque sabíamos que nem sempre nosso pai teria oportunidade de tempo para nos levar àquela praia! Chegamos, montamos nosso guarda-sol, colocamos as cadeiras na areia e nos preparamos para entrar no mar.

"Mantenha o foco naquilo que acreditas, derrame toda a energia que há em ti e, acima de tudo, tenha atitude. Acredite que és capaz, nunca duvide das possibilidades, tudo é possível."

– Lorena Rodrigues –

O mar é algo majestoso, sem dúvida, de uma beleza imensurável, mas é também muito traiçoeiro.

Meu irmão Rodrigo e minha tia Mônica, foram os primeiros a entrarem. Avistaram uma pequena ilha que não ficava longe da praia. Sem parar e sequer olhar para trás, nadaram com muita desenvoltura, como dois atletas, até a ilha.

Minha irmã Priscila e meu irmão Alexandre viram a atitude dos dois e pensaram: "Ah! É muito fácil. Vamos entrar, também!" O que eles não sabiam é que a correnteza do mar estava muito forte. Rodrigo e tia Mônica nadavam muito bem, por isso tinham conseguido vencer a força da correnteza. Mas Priscila, sem o mesmo preparo, no meio do caminho sentiu a forte correnteza e se desesperou. Agarrou fortemente Alexandre pelo pescoço e começou a gritar: "Socorro! Socorro!" Alexandre, por sua vez, dizia a ela: "Calma! Me solta porque você está me afogando!" E, cada um tentando se salvar à sua maneira, em questão de segundos já estavam bem afastados. Meu pai, vendo aquela situação, nadou ao encontro deles e conseguiu tirar minha irmã da água. Quando voltou para tentar tirar o Alexandre, já era tarde demais! Ele estava muito longe, e meu pai estava extremamente cansado. Lembro-me dos gritos de meu irmão: "Pai! Me ajuda! Eu estou me afogando!"

Meu pai, desesperado, dizia: "Eu não tenho forças pra entrar e tirar o Alexandre. Se eu entrar não vou conseguir sair..." Ele já havia gastado grande parte de sua energia tirando minha irmã. E passou a gritar: "Alexandre, tenta boiar, tenta boiar!" E meu irmão ia cada vez mais se distanciando!

A praia estava totalmente deserta e não havia a quem recorrer. Também não haveria tempo de sair e buscar ajuda, porque seria tarde demais! Alexandre não resistiria por mais tempo. Ele, entre uma e outra onda, desaparecia. Estava quase se afogando. Estávamos quase perdendo meu irmão para o mar. Meu pai estava quase perdendo seu filho. Quando me lembro daquela cena, chego a ficar arrepiado!

Mas vou repetir a frase que serve de inspiração para este capítulo: "Só existe um sentimento capaz de transformar o impossível no extraordinário: a fé focada em Deus!" Meus pais, naquele momento, choravam, desesperados. Mas tiveram um lampejo que lhes proporcionou tomar a melhor atitude que alguém poderia ter! Dobraram os joelhos e deixaram de focar sua atenção para Alexandre, passaram a focar seus olhos, fé e pensamentos em Deus. Aos prantos e aos gritos suplicaram a Deus, então oraram: "Senhor, não permita que essa desgraça aconteça na nossa família! Salva, ó Deus, o nosso filho! Salva, ó Deus, o nosso filho!"

Acreditem se quiserem. Na mesma hora, apareceram naquela praia linda, reservada e deserta, quatro homens montados a cavalo. Imediatamente entraram naquele mar em fúria, chegaram o mais perto possível do meu irmão, lançaram uma corda na qual ele se agarrou e o trouxeram para a areia em segundos. Alexandre, que já é muito branco, parecia um defunto!

Deus não permitiu a desgraça e O agradecemos muito por ter ouvido meus pais e ter enviado o socorro em segundos. Que momento, que experiência! Foi algo sensacional aquele resgate! Um milagre extraordinário! Parecia cena de filme. Os cavaleiros o retiraram da água e lhe disseram: "É, Alexandre, hoje você nasceu de novo!"

"Porque aos seus anjos dará ordens a teu respeito, para que te guardem em todos os teus caminhos. Eles te sustentarão nas suas mãos, para não tropeçares nalguma pedra."

– Salmos 91:11 e 12 –

Uau! Que dia! Mas como os quatro homens sabiam o nome dele? Em seguida, os salvadores foram embora. Eu não sei se a emoção maior foi ver o resgate do meu irmão mais velho, ou ver os anjos de Deus em ação! Deus tinha plano para a vida de Alexandre: hoje ele é bispo evangélico e já passou por vários países, levando a salvação aos aflitos.

Os planos de Deus jamais serão frustrados. Uma pequena observação: no momento em que estávamos indo embora, aqueles quatro homens apareceram atrás do carro do meu pai e nos seguiram por algum tempo. Sabe o que isso significa? Que o Senhor envia seus anjos para guardar nossos caminhos. Às vezes, cruzamos e convivemos com pessoas simples, que nem imaginamos, mas pode acreditar, muitos deles são anjos que o Todo-Poderoso mandou vir ao nosso encontro para nos socorrer.

EXERCÍCIO: FOQUE EM UM DESEJO

Quero lhe ajudar a praticar a fé de uma forma diferenciada! Quero também lembrá-lo que não está sozinho, o mesmo Deus que ouviu a oração dos meus pais e salvou meu irmão, é o Deus que ouvirá sua prece. Escreva abaixo um pedido e creia que Ele enviará os anjos com o socorro.

Meu pedido:

RESUMO

Inúmeras vezes perdemos o foco por querer fazer a nossa vontade e não a de Deus, e por perder o foco perdemos o controle de certas situações. No desespero queremos controlar as coisas do nosso jeito, sem esperar a ação do nosso Senhor Jesus.

Deus promete que Ele vai ajudar quem escolhe não desistir. Deus é fiel, Ele não mente e sempre cumpre o que promete. Por isso, mantenha o foco nele para que muitas coisas ao seu redor possam dar certo. Quando entendemos o propósito de Deus, tiramos da nossa vida e família tudo aquilo que desvia a atenção de Deus e dedicamos todo o nosso amor, toda a nossa vida, todas as nossas decisões totalmente ao Senhor, obedecendo às suas leis e a sua palavra.

Durante qualquer caminhada, muitas situações ou oportunidades surgem para nos tirar o foco. Muitas vezes até vem coisas boas, mas não são certas para sua vida, não confunda fazer as coisas certas ou fazer coisas boas, na intenção de fazer coisas boas, acabam não fazendo o que era certo, perderam o foco e não tiverem sucesso na vida. Começar bem é fácil, mas terminar bem é para aqueles que foram fiéis ao seu propósito. Não perca o foco, a cada dia busque o centro do propósito de Deus para a sua vida e Ele te fará prosperar na hora certa.

Não desanime do propósito de Deus para sua vida.

Tomou Jacó uma das pedras do lugar, fê-la seu travesseiro e se deitou ali mesmo para dormir. E sonhou [...].

- Gênesis 28,11:12

CAPÍTULO 10

Transforme seus sonhos em uma realidade

Mesmo no deserto, no pior momento de sua vida, sendo o seu travesseiro um punhado de pedras, Jacó teve um sonho. Saiba que um sonho, aliado a força de Deus, se faz realidade.

Quem nunca colocou sua cabeça no travesseiro e começou a sonhar acordado? Muitos chegam a ficar ali pensando por horas planejando. Vislumbrando momentos incríveis com a família, o carro dos sonhos, uma saúde de primeira, o emprego dos sonhos, os filhos na faculdade, todos casados, felizes e bem-sucedidos. Imagine você sendo honrado no trabalho, assumindo o cargo mais importante daquele que te humilha na empresa hoje!

Nos sentimos então como um poderoso super-herói. Essa evidência se torna tão real em sua mente que faz com que, por alguns instantes, sua mente se comunique imediatamente com seu coração, trazendo a sensação de que tudo aquilo, de fato, é uma realidade agradável a você.

Porém, quando você se distrai, com qualquer outra coisa, aqueles belos pensamentos somem rapidamente como uma nuvem. É como se alguém jogasse um balde de água fria em você, e disse se: acorda! Isso não te pertence! Apenas ao abrir os olhos, você já sente uma intensa dor de cabeça.

Pois sabe que irá se deparar com a mesma rotina de sempre. Mal consegue se levantar da cama, são dores no corpo inteiro, parece que todos os seus hormônios afloraram, e estão desregulados. Imediatamente você vasculha a cabeceira a procura de seus remédios. Ainda ali, você fica pensando como vou pagar as minhas dívidas? O salário que ganho mal dá pra me manter e suprir as necessidades do meu lar!

Através do pensamento podemos
passar da pobreza para a abundância,
da tristeza para a alegria, do
fracasso para o sucesso, da doença
para uma vida saudável.

– Sonia Jordão –

Parece até piada, mas só de pensar, o telefone já começa a tocar. Boas notícias? Quem dera. São pessoas logo cedo cobrando você. Parece perseguição, pois você abre o e-mail e lá tem mais cobranças, pega o celular, e com a bendita modernidade de hoje, vários sms com mais cobranças!

Você já levanta emburrado com a esposa, brigando com os filhos, se bobear sobra até para o pobre do cachorro, gato ou passarinho!

Com isso, os seus pensamentos lhe sufocam. E você pensa: não é possível, devo ter jogado pedra na cruz em outra vida. Acredite, para um chefe de família não existe coisa pior que se sentir impotente diante de uma determinada situação. Essa tem sido a realidade de muitas pessoas hoje em dia. A cada dia que passa, muitos têm se tornado reféns de seus inúmeros problemas.

Quando você não puder mudar
uma situação adversa, mude
sua mentalidade diante dela. E
Deus resolverá essa situação.

– Filipe Iannie –

EXERCÍCIOS PARA MINHA EVOLUÇÃO

Primeira parte: Pegue uma folha de papel e uma caneta. Agora pegue a folha, dobre ela ao meio e rasgue ela. Em uma das partes, escreva 5 coisas que tem tirado o seu sono. Tais como: dívidas, doenças, rebeldia dos filhos, perdas, vícios, etc. Agora olhe bem para esses problemas que você escreveu, leia em alta voz, e com todo o seu coração diga:

- Nunca mais, problema, você terá efeito na minha vida!
- Nunca mais você vai tirar o meu sono, o meu sossego, e a minha paz!
- Dito isto, amasse ele bem, pise nele, e jogue-o no lixo!
- Imediatamente você vai sentir um peso sair de dentro de você, se o fizer com todo o afinco de seu coração claro. Pois tudo deve ser feito com fé!

Segunda parte: Pegue a outra parte de sua folha e nela escreva 5 coisas que hoje você diz: Se isso acontecer, para mim será como um belo sonho realizado! Agora pegue seu celular, tire uma foto dessa escrita. Com todo o carinho dobre ela com amor, você pode jogar um pouco do seu melhor perfume. Coloque dentro de sua carteira esse seu desejo, ou no seu armário, é preferível que você deixe em um lugar que terá acesso a ele diariamente.

Todos os dias em determinando momento, leve esse desejo ao seu coração e diga todos os dias: Essa é minha nova realidade, daqui pra frente é só conquista!

Seja constante, paciente, perseverante e empenhado.
Muitas vezes nos irritamos e acreditamos que algumas
pessoas têm mais sorte que nós. Isso não existe,
jamais deixe de acreditar no seu esforço; por trás de
pessoas bem-sucedidas, existem pessoas que nunca
se rendem, são perseverantes e não desistem jamais.

– Filipe Iannie –

As dúvidas tentaram lhe desanimar e fazer você pensar que deve estar ficando louco, mas acredite, você está apenas abrindo sua mente a uma vida de conquistas!

Confia no Senhor e faze o bem;
habita na terra e alimenta-te da
verdade. Agrada-te do Senhor, e ele
satisfará os desejos do teu coração.
Entrega o teu caminho ao Senhor,
confia nele, e o mais ele fará.

– Salmos 37:3,5 –

A palavra depressão provém do termo latim *depressus*, que significa abatido ou aterrado. Trata-se de um distúrbio emocional podendo traduzir-se num estado de abatimento e infelicidade, o qual pode ser transitório ou permanente.

Para a medicina e a psicologia, a depressão é uma síndrome, ou um conjunto de sintomas, que afetam principalmente a área afetiva, ou emocional de uma pessoa. Posto isto, a tristeza patológica, o estado de fraqueza, a irritabilidade e as alterações de humor podem causar uma diminuição no rendimento profissional ou uma limitação na respectiva vida social.

Talvez você diga "Eu sinto tudo isso e nem sabia que era derivado da depressão? Então agora Filipe, você me arrumou mais um problema?" Rsrs, jamais!

Quero trabalhar com você sua fé, lhe mostrar que é possível vencer essa situação, vou lhe ajudar a mudar seus pensamentos, comportamento e atitudes. Sendo assim, você obterá uma nova vida. Não se preocupe com o tempo, esteja 100% focado na sua mudança mental e espiritual. Quando você se der conta, sua história já terá mudado completamente!

Saiba desfrutar de sua mente. Seus poderes de imaginação podem mudar o modo como seu corpo reage. Se você imagina uma situação, saiba que o seu cérebro se estimula como se você estivesse vivendo isso.

– Joachim Vosgerau –

Jack Ma é o Fundador do grupo Alibaba, uma das maiores companhias de internet, que tem 80% do comércio online da China e negocia mais de US$ 150 bilhões em mercadorias por meio de diferentes sites, entre eles o AliExpress, o Taobao, o Tmall e o Juhuasuan. A companhia, que começou como um serviço para conectar fornecedores chineses a varejistas em todo o mundo, se ramificou como um comércio eletrônico de varejo e tem serviços em vários países.

Hoje ele diz: Fui rejeitado em uns 30 empregos. Tentei uma vaga na polícia, não me quiseram. Quando o grupo KFC chegou à China, tentei um emprego lá. Eles entrevistaram 24 pessoas e contrataram 23. Eu fui o único que ficou de fora. Tentei entrar em Harvard dez vezes. Em todas fui rejeitado. Eu sei como é ser rejeitado.

– Jack Ma –

O homem mais rico da Ásia

Qualquer pessoa que te incentiva a evoluir, seja espiritualmente, intelectualmente ou emocionalmente, é alguém que vale a pena você ter por perto! Sua vida é única, por isso não use seu tempo e energia falando ou pensando em crise ou problemas.

Ao contrário disso, use seu tempo encontrando soluções e oportunidades. Enquanto você está dormindo e sonhando, outros estão bem acordados lutando pelos seus sonhos! Vá à luta, seja feliz!

RESUMO

As coisas não são fáceis, talvez você esteja com problemas no trabalho, na faculdade, em casa, cheios de dívidas, as contas estão atrasadas, mas é hora de você acordar e não deixar seus problemas lhe atingirem.

Somos seres humanos e algumas vezes não acordamos num bom dia, não queremos cruzar com ninguém ou falar. Mas é possível fazer isso? É possível simplesmente fugir e deixar que o mundo aconteça ao nosso redor, e nos isolarmos para resolver os nossos problemas? Não, devemos enfrentar as nossas maiores dificuldades.

O deserto que passamos é onde mais amadurecemos, abrace suas dificuldades, tenha paciência com suas fraquezas. Elas te servirão de grande aprendizado. Te ensinarão como ter graça nos momentos que forem mais cansativos. Se não entender o que te digo não conseguirá suportar os desafios que estão por vir.

Se você souber como lidar com estas situações, encarar de forma mais naturalista e realista, identificar o que é problema e o que pode ser relevado, os momentos de estresse irão se tornar menos conturbados e você conseguirá facilmente sair destas situações da melhor forma.

Não deixe os problemas te fazerem acreditar que existe algo impossível na sua vida, use toda a sua determinação para vencer e seja tudo aquilo que sempre sonhou. Lute, mesmo contra todas as probabilidades, porque no final dessa batalha você vai perceber que sempre mereceu o sucesso.

Até a criança mostra o que é por suas ações; o seu procedimento revelará se ela é pura e justa.

- Provérbios 20: 11

O CAPÍTULO 11

O poder da visão

Só no nervo óptico do olho, existem mais de 1 milhão de fibras nervosas que ligam os olhos diretamente ao cérebro. Isto significa que temos mais núcleos cerebrais dedicados à visão do que todos os outros sentidos juntos. De todas as informações sensoriais recebidas pelo cérebro, aproximadamente 80% estão envolvidas com a visão.

Nossos olhos são a câmera mais potente e eficiente do mundo. Capaz de fotografar e gravar na maior nitidez e qualidade tudo o que vemos. Em fração de milésimos, ela envia ao nosso cérebro o que estamos vendo. Podemos dizer que o seu sucesso, ou o seu fracasso está diante de seus olhos. O indivíduo otimista se mostra sempre esperançoso, vê sempre as dificuldades pelo lado mais favorável. O contrário de otimista é pessimista. Pessimistas são as pessoas que veem tudo pelo lado negativo, acreditando que tudo vai dar errado e esperam sempre o pior.

A orientação divina diz que o nosso coração é a fonte da vida. Se ele estiver sendo nutrido pela tristeza, dor ou insatisfação, consequentemente os frutos que ele dará, serão de uma vida de sofrimento e perdas. Gastamos tempo e dinheiro em futilidades e esquecemos do mais importante: em como estamos alimentando o nosso interior.

Veja o que dizem as Sagradas Escrituras: "Sobre tudo o que se deve guardar, guarda o coração, porque dele procedem as fontes da vida." - Provérbios 4:23. Você já deve ter se deparado com o famoso ditado popular. "O que os olhos não veem, o coração não sente."

Seus olhos são tão poderosos, que por meio deles você pode condenar ou motivar seu interior. Você pode declarar a falência múltipla de seus órgãos ou revigora-los com sua positividade.

Por que vemos pessoas para baixo constantemente? Desanimadas, tristes? Por que será que o índice de depressão tem crescido mundialmente nos últimos tempos? No Japão, mais de 70 homens por dia tiram suas vidas. Pesquisas apontam que uma pessoa que comete o suicídio não queria na verdade se matar, mas eliminar a dor que a consumia. Tudo o que elas querem é amenizar um trauma não superado.

Certamente isso tem acontecido porque muitos têm nutrido o seu interior com sua atual realidade! Muitos de nós também já ouvimos por aí uma outra famosa frase: "Você é o que você come."

O mesmo acontece com o nosso interior. Como você tem tratado o seu? Saiba que sua vida é o reflexo de como você tem cuidado dela. Todos gostamos de receber cuidados, e de ser bem tratados. Certo?

É claro que sim!

Eu amo fazer churrasco nos fins de semana aqui em casa. Ou quando recebemos familiares e amigos. Antes eu vou a um lugar especializado em carnes e escolho aquela que mais me agrada. Vamos pensar juntos, digamos que eu compre a carne na segunda-feira pela manhã e a deixe em cima da pia até o fim de semana. Será que a carne estará em condições para ser ingerida? É claro que não! De que me serviu ter comprado uma carne linda e maravilhosa se eu não cuidei dela? Agora imagine você, eu fui até o local, escolhi a peça que mais me agradou, mas ela ficou no esquecimento, perdeu seus nutrientes.

"Enquanto sua fé estiver no
esquecimento, você nunca
apreciará o sabor da vitória."
– Filipe Iannie –

O mesmo acontece conosco. Somos a máquina mais perfeita e potente do Universo. Deus nos criou com excelência e perfeição, mas Ele dos deu o livre-arbítrio, ou seja, a decisão é sua. Uma escolha errada pode trazer consequências irreparáveis para você. Sua vida é resultado de suas escolhas. Vou mostrar alguns exemplos de escolhas erradas e certas, e suas consequências.

OBSERVE: CRIAR EXERCÍCIO.

Uma escolha errada pode comprometer todo o projeto de Deus para a nossa vida, compromete o cumprimento das promessas de Deus em nossas vidas.

"Há caminho que parece certo ao homem, mas no final conduz à morte".

- Provérbios. 14:12

Por isso, gostaria de chamar você para fazer agora um exercício de reflexão e solução.

EXERCÍCIO:

Sabemos que as notícias ruins vêm para todos. A pergunta é: como você reage diante de seus problemas? Seja sincero e marque com um (x) como você tem agido.

( ) Culpo a Deus e o critico.
( ) Me desespero e não paro de chorar.
( ) Começo a gritar e me descontrolo.
( ) Penso em desistir de tudo.
( ) Afirmo e digo, eu sabia que isso não iria dar certo.
( ) Culpo uma determinada igreja e seus líderes.
( ) Me deprimo e não saio da cama.
( ) Me refugio no cigarro ou na bebida.

(   ) Culpo as pessoa ao meu redor.

(   ) Digo que ninguém me entende ou apoia

(   ) Me sinto sozinho e perdido.

(   ) Começo a pensar no passado, e penso que errei.

Se você não se sente identificado com nenhuma dessas atitudes, escreva nas linhas abaixo seu comportamento diante de seus dilemas.

____

____

____

____

____

____

____

____

____

____

____

____

____

____

____

"Os obstáculos da vida, não foram feitos para que você desista no meio do caminho, ou ainda para fazer você desistir de seus ideias. Mas, para que você persevere e supere toda e qualquer dificuldade."

– Filipe Iannie –

Não se esqueça de entrar em nosso site. Deixe seu celular cadastrado para receber mensagens de fé e esperança. Em nosso site teremos mensagens, vídeos e muito mais.

"Dificuldades preparam pessoas comuns para destinos extraordinários."

– C.S. Lewis –

Envie esta mensagem para, pelo menos, 10 pessoas diferentes da sua lista de contatos; faça isso por uma semana, não precisa dizer nada. Essa palavra irá abençoar muita gente, e sobretudo a você.

Agora é você quem decide se seguirá nessa atual situação ou irá revertê-la.

"Visão é a capacidade de enxergar além do que os olhos são capazes."

– Myles Munroe –

RESUMO

Você já definiu a sua missão de vida? É comum, ao final de cada ano, as pessoas fazerem promessas e definirem metas, mas você já pensou em algo mais profundo, mais definitivo, mais construtivo para a sua vida e não somente para o próximo ano? A visão é o primeiro estágio do desenvolvimento. Ela ainda é abstrata. Ainda pode ser emocional. Porém, começa a se tornar comunicável por meio de uma declaração de visão. Redigir a declaração é importante, pois o processo de escrevê-la permite e exige a estruturação do sonho. Nela, descreve-se as situações futuras que foram imaginadas com o máximo de detalhes possível, até onde a mente alcança. Os meios para alcançá-la não são importantes nesse momento. Nossa mente automaticamente passa a elaborar estratégias. Enquanto o coração sonha, a mente planeja. Você pretende existir pensando sempre em ajudar outras pessoas, em busca de um mundo melhor, ou investir em si mesmo para que os que estejam à sua volta: familiares e amigos se beneficiem disso? Qual é o propósito da sua vida? As respostas a todas essas perguntas são a missão da sua vida. A visão tem um objetivo e um prazo e ela tem que estar alinhada com a missão. E os valores permitem lembrar que não se deve ultrapassar alguns limites para atingir os objetivos, baseando-se nas crenças de vida. Tenha uma visão ampla e lembre-se que uma escolha errada pode trazer consequências irreparáveis para você. Sua vida é resultado de suas escolhas. Uma escolha errada pode comprometer todo projeto de Deus para a nossa vida, compromete o cumprimento das promessas de Deus em nossas vidas. Escolha certo e não deixe sua visão ser abatida.

Quando sua perspectiva está em Deus, seu foco está naquele que vence qualquer tempestade que a vida pode trazer."

–Max Lucado –

CAPÍTULO 12

Você nasceu para vencer

Quero contar uma historinha interessante, quase uma fábula, para servir de exemplo... pronto? Vou começar...

Um sapo saltitando pelos campos invejava os pássaros porque eram capazes de voar e ver o mundo lá de cima. Como Deus não lhe deu asas, decidiu que ia subir numa árvore bem alta, até o topo do último galho. Custou-lhe muito esforço nas primeiras tentativas. Ia segurando com as patas no tronco e subia um pouquinho, mas não conseguia se manter e caía. Os outros sapos vieram rodeá-lo, espantados pela ousadia do colega. Começaram a gritar com ele para esquecer daquela ideia que consideravam absurda: "Não vai conseguir, companheiro! Não vai, não vai! É impossível! É impossível!" Só que o nosso sapinho era surdo! Não ouvia nada do que os colegas gritavam e achou que eram brados de incentivo. Com isso, encheu-se de coragem e força, aplicou ainda mais dedicação à tarefa. E chegou, como planejava, ao galho mais alto da árvore.

Percebeu a lição? É preciso ser surdo para os comentários negativos. Vejo que os problemas de muitas pessoas estão em frases como estas: "Será?", "Mas está difícil!", "Será meu destino", "Talvez...", "Tenho medo!"

Sabe, querido, para vivermos pela fé, nenhuma dessas palavras pode estar presentes em nossos vocabulários, e se alguém vier com essas palavras, também não poderão nos atingir, porque o nosso Pai é maior do que qualquer dificuldade!

EXERCÍCIO: PRATICAR A POSITIVIDADE

Quero que escreva abaixo 3 frases motivadoras. Pense que é uma forma de você dizer ao problema: "Hoje, você vai sair da minha vida!" Quer uma ajuda? Vou dar um exemplo: hoje, tudo o que estava para dar errado dará certo! Porque o Deus vivo é comigo! Vamos lá, agora é a sua vez!

Depois, compartilhe nas suas redes sociais para todos os seus contatos. Além de ser um excelente exercício, será uma forma de ganhar confiança em si mesmo.

VOCÊ É UM VENCEDOR

Quero lembrá-lo de que você é um vencedor e nada pode lhe parar! Vencedor é aquele que se levantou para decidir a vida, e sei que você se levantou para mudar essa realidade!

Vencedor é aquele que não aceitou ter uma vida de vergonha, se esforçou para superar os seus limites, e você não aceitou, mas tomou a posição de enfrentar os desafios.

Vencedor é aquele que um dia exclamou: "Hoje eu coloco um ponto-final nessa situação!" E você exclamou e decidiu viver uma nova vida!

Está feliz? Eu estou feliz por você, vencemos juntos! Grite bem alto: "Eu sou um VENCEDOR!!!"

EXERCÍCIO:
EXERCITAR A DETERMINAÇÃO

Este é o nosso último exercício. Vamos fechar esta leitura com chave de ouro? Quero que escreva abaixo o que pode ajudá-lo a melhorar cada atitude. Vamos lá...

1. De que forma posso melhorar para estar mais focado?

____

____

____

____

2. Vou adquirir confiança para seguir meu foco com persistência. Como farei isso?

____

____

____

3. Minha meta é de superação. Por essa razão eu prometo estar focado nos objetivos:

____

____

____

Terminou? Prometa para você mesmo e para Deus que seguirá cada passo que escreveu acima.

Estamos terminando o livro, mas antes, queria deixar a última passagem Bíblica para inspirá-lo ainda mais... O rei Salomão, um dos homens mais ricos, sábios e poderosos da história humana, no final de sua longa e feliz vida, disse:

"De tudo o que se tem ouvido, a suma é:
Teme a Deus e guarda os seus mandamentos;
porque isto é o dever de todo homem."

– Eclesiastes 12:13 –

"Se você soubesse a capacidade
de sua fé, jamais ficaria chorando
diante de seus problemas."

– Filipe Iannie –

Independentemente de sua crença, que Deus possa estar sempre em primeiro lugar na sua vida. Ame a Deus incondicionalmente, seja grato mesmo em tempo de crise. Foque sua energia, sua fé no Todo-Poderoso. Assim sua história mudará por completo. Certamente você ouvirá: "Ah, isso foi sorte!" Mas, você responderá: "Foi Deus que mudou a minha vida!"

CHEGAMOS AO FIM...

Quero parabenizar a você que leu este livro, que fez destas palavras o seu guia, que realizou cada exercício com o coração. Se for preciso, leia este livro várias vezes, medite sobre ele e sempre o coloque em prática!

Tudo é uma questão de ótica. O pessimista olha um copo de água que está pela metade e o vê quase vazio. O otimista olha o mesmo copo pela metade e o vê quase cheio. Seja otimista e veja todos seus problemas solucionados. Não se preocupe como acontecerá. Simplesmente Deus fará!

RESUMO

Não dê ouvidos a palavras negativas, sejam de quem for, apenas continue focado em seu objetivo. Saiba que você tem um Deus que é capaz de fazer o impossível acontecer. Se seus sonhos fazem parte do plano de Deus, pode ter certeza que nenhuma palavra vai desanimá-lo de você chegar até o sucesso.

O segredo é observar os pequenos milagres que acontecem no nosso dia e ver como nosso Criador é grandioso e quantas maravilhas Ele fez e faz em todos os momentos. É observando esses pequenos detalhes que podemos ver como nosso Deus é poderoso e como Ele é sábio.

Por mais difícil que tudo pareça, nunca desanime, é preciso que sejamos fortes e corajosos em meio à luta, pois sua força vem de Deus, e você é mais que vencedor. Portanto, não se sinta fraco e derrotado, assuma agora o seu papel de vencedor. Não deixe que as palavras negativas tomem conta de você.

Mantenha sempre viva a sua fé e não deixe que os problemas te afastem do amor de Deus, pois é dEle que você ganhará a chave da vitória. Todos os dias você pode escolher onde vai manter o seu foco e seus pensamentos nas coisas boas ou nas ruins. Seja confiante no amor e na proteção de Deus, mantenha sempre a sua visão nas coisas boas e seja grato a Deus.

COMPARTILHE ESSE APRENDIZADO

Você agora está abençoado e tem as ferramentas necessárias para transformar sua vida. Se for necessário, leia e releia o livro, compartilhe ao máximo com seus amigos, familiares e pessoas especiais para você.

Vamos criar uma conexão com as pessoas em nossa volta e ajudá-las a transformarem suas vidas.

COMPARTILHEM ESSE VÍDEO!

Finalizo este primeiro livro com um vídeo especial e repito mais uma vez a frase que arde em meu coração: “Quanto maior for sua gratidão, mais pleno você irá se sentir e mais rapidamente sua vida mudará.”

"Tudo o que a mente humana pode conceber e acreditar, ela pode conquistar."

– Napoleon Hill –

Sua mente é um talismã secreto. De um lado é dominado pelas letras AMP (Atitude Mental Positiva) e, por outro, pelas letras AMN (Atitude Mental Negativa). Uma atitude positiva irá, naturalmente, atrair sucesso e prosperidade. A atitude negativa vai roubá-lo de tudo que torna a vida digna de ser vivida.

Seu sucesso, saúde, felicidade e riqueza dependem de qual lado você irá usar.

"Medo é a ferramenta de um diabo idealizado pelo homem."

– Napoleon Hill –

Fascinante, provocativo e encorajador, *Mais Esperto que o Diabo* mostra como criar a sua própria senda para o sucesso, harmonia e realização em um momento de tantas incertezas e medos. Após ler este livro você saberá como se proteger das armadilhas do Diabo e será capaz de libertar sua mente de todas as alienações.

Quem Pensa Enriquece é baseado no resultado de mais de 20 anos de estudo e análise de indivíduos que acumularam fortunas pessoais.

Napoleon Hill estudou os hábitos de 16 mil pessoas, entre elas 500 milionários e os homens mais ricos de sua época, e chegou às "leis" que devem ser aplicadas para a conquista do sucesso.

Quem Pensa Enriquece condensa essas leis dando a você os 13 princípios na forma da "Filosofia da Conquista". Mark Hansen, disse que o tempo mostrou que duas das leis/princípios possuem especial importância:

1) O princípio da Mastermind (Mente Mestra) e

2) A necessidade de um Objetivo Definido.

O livro afirma que desejo, unido à fé e à persistência, pode levar o indivíduo a realizar qualquer feito, desde que este possa se livrar de pensamentos negativos e manter o foco em seu objetivo

Livros para mudar o mundo. O seu mundo.

Para conhecer os nossos próximos lançamentos
e títulos disponíveis, acesse:

www.**citadel**.com.br

/citadeleditora

@citadeleditora

@citadeleditora

Citadel - Grupo Editorial

Para mais informações ou dúvidas sobre a obra,
entre em contato conosco pelo e-mail:

contato@**citadel**.com.br